# SCOTLAND

## The Bravest!

## BY D.A. MACDONALD

**LANG SYNE PUBLISHERS LTD.**

Published by Lang Syne Publishers Ltd.,
45 Finnieston Street, Glasgow G3 8JU.
Tel: 0141-204 3104
Printed by Dave Barr Print,
45 Finnieston Street, Glasgow G3 8JU.
Tel: 0141-221 2598

First published 1982. Reprinted 1983, 1986, 1987, 1989, 1990 and 1995.

ISBN 0 946264 00 7

*"Ah peed in yer sea !"*

*"Ah get awfy fed up playing, hide and seek !"*

# MY AIN FOLK

This offbeat look at "Scottishness" does not pretend to cover every aspect of the subject — it is merely intended to help the visitor in a hurry or on the run.

It may clear up a few misunderstandings about haggis and bagpipes and give guests of Scotland a rough idea of what to expect and how certain things originated.

It has been written in a sort of English dialect for clarity in preference to the Gaelic which is even worse when it is written down.

Anyone who sees any resemblance to anybody else — living or dead — is mistaken.

The Scots have always been ingenious at inventing glorious heritages and it is easy to lose patience with the perpetual haggis, kilts, porridge and bagpipes and the hoch-aye accent ... but the revelation that they can laugh at themselves may make it possible to accept some of their idiosyncrasies with at least amused tolerance.

Why don't we start by inventing yet another tradition...

... every Scottish Nationalist starts the day on a haggis.

# THE POPULAR IMAGE

The hardy Scots
wear tartan frocks
and hairy socks
and jump about
on jagged rocks
They lift their heels
dance fancy reels
to the bagpipe squeals
and eat porridge
instead of meals
They wear funny hats
and blancoed spats
Get bitten by gnats
and wrap themselves
in motor car mats
They're great flag-wavers
and in football favours
they are bad behavers
and cut each other
with rusted razors

Fortunately all this
is only partly true.

# HERE'S TAE US, WHA'S LIKE US!

The Picts who occupied the country before the Scots arrived from Ireland seemed to have miscalculated their chances in some way and disappeared off the face of the earth about two thousand years ago.

The Scots, on the other hand, have shown an amazing capacity for survival. Despite centuries of invasions, massacres, clearances, deportations and migrations there seems to be more of us around than ever!

Our fame as great warriors has tended to obscure the fact that many of the nation's military ventures have ended in disaster; we have often found ourselves on the losing side in the big decisive battles and the country is riddled with heroes' hidey-holes which are known to this day as Wallace's, Bruce's or Charlie's caves.

Despite this a glance through the telephone directory will be enough to demonstrate how few direct descendants of the invaders, be they Romans, Danes, Vikings, Normans or Anglo-Saxons, have survived amongst the multitudes of Macdonalds and Campbells etc.

There may be a lesson here for the rest of mankind but of course it may be that the invaders just couldn't stand the climate.

We Scots created the music-hall image of the bandy legged wee chap in the fluorescent kilt with the curly walking stick, which is universally accepted as the typical native, but there is also the less attractive reputation that we are a mean, dour uncouth and quarrelsome lot.

It is admittedly on record that in the past the Scots repeatedly overran their neighbours, destroyed what civilisation the Romans had left and generally established a way of life which helped to prolong the Dark Ages for a few centuries.

Such was our reputation as efficient trouble-makers, that our forebears were able to hire out this ability to any tin-pot conqueror who had the ready cash.

It is also true that traces of barbarism still exist. Some of our number screech and wail in unison for the good of our souls, make weird noises on bagpipes, consume excessive quantities of alcohol, throw things at sporting events and cut up things on trains.

Some say we have no sense of humour but this is nonsense for we often laugh at ourselves.

*"Have you anything in a smaller tartan?"*

Our ancestors improved their chances of survival by inventing whisky and Harris tweed and the tartan. The whisky and the tweed protected them from the bone chilling Scotch mist and the tartan enabled them to identify friend or foe. It was probably the lack of these aids to gracious living that hastened the departure of the half naked and hand painted Picts!

The clans vied with each other to produce the most startling tartan and even today new tartans can be designed in screaming pink or pulsating purple for the exclusive use of any person or group of people.

The original Harris tweed was a thick hairy felt-like cloth with bits of heather sticking in it. The cloth had a certain stiffness and it was not necessary to hang a suit made from the material — the outfit could stand by itself in the corner.

In fact it was this stiffness that led directly to the introduction of the kilt. It was found that trousers made from the tweed did not bend readily at the knee and the stiff-legged gait and chafed knees of the wearer retarded progress.

It is a far far cry from the simple practicality of the early Scots' dress to the eye-dazzling splendour of today's military men. Their proud bearing, precision of movement and resemblance to mobile Christmas trees are sources of wonder and amazement.

Probably under the impression that it will improve their broad-as-it-is-long image, wee fat men are attracted to the dress and this has tended to introduce a comic element which may delight the onlooker.

Any idea that the Scot is effeminate because of the tartan "skirt" should be dismissed from the mind. We may accept the description "Ladies from Hell" because of its military significance but heaven help anyone who casts comical doubts on the Scotsman's gender or refers to tartan "drag".

it is noticeable that his womenfolk do not share in the magnificence and this has puzzled many envious observers who see the Scot as a man who rules females with a rod of iron and never tires repeating that they're at their best when getting on with house work which, incidentally, he makes sure is never done...

"Ye didna try very hard Mr. Grosset got a suit tae fit him!"

"Ah can assure ye, whaur ah come frae everybody dresses like this."

"He must have been overlooked during the clearances!"

"You should do something about that bad-tempered old goat sitting in your telephone box!"

# HISTORY YOU MISSED

*The Duke of Sutherland described the opportunities he has opened up for foreign travel.*

*Yes dearest I know all about Scottish history. — It was probably in this very room that Mary Queen of Scots and the Earl of Bothwell spent their honeymoon!*

*"The cruise will leave on Wednesday or Thursday depending on how long it will take to clean up after they've unloaded the cattle."*

"The man oan the barra said it belonged tae Mary Queen o' Scots."

"Did ye get ony fish fingers?"

*My Jeannie! We ken noo...*

"It's alright, officer — I'm wearing a kilt!"

# HISTORY YOU MISSED

The Highland warrior who consulted the Brahan Seer before Culloden.

It was just too bad that the Redcoats also had their Seer.

"Actually she's been missin' fur eighteen months, but this is the first time ah've been roon this wey."

"Good morning! I'm an expert on tartans. Would I be correct in assuming that I am addressing Mrs. MacKenzie?"

# HISTORY YOU MISSED

Albert explains to enthusiastic Highlanders how he intends to improve their image.

*The Scots are aware of the importance to them of the tourist industry and many interesting ruined strongholds have been erected.*

## THE THREE GRACIES

Grace McNab, Gracy McAllister and Amazing Grace

# THE PRODIGAL'S RETURN

*Far frea ma mammie's Heilan'hame across the ragin sea.*
*Ah dreamt o' the Chinese cairry-oots ye used tae git fur me.*

*THE HIGHLAND GAMES*

# THE HIGHLAND GAMES

The Scots play and watch all the usual games just like everyone else in the world but there are a few sports which are peculiarly Scottish.

There is a game played in the Highlands called Shinty which seems to have few rules and is a kind of lingering-on of the old clan feuds. The opposing teams face up and belabour each other with bent paddles.

Then there is curling for which a frozen loch is required. Between sips of whisky the competitors slide lumps of granite about on the ice and chase them with brushes.

It is not clear who wins or what they have to do to win and it doesn't seem to matter much in any case.

There is also hand-ba', a contest between two teams known as the Uppies and the Doonies. Much of the action takes place in the bed of a Borders river and the objective is possession of the ball.

The real Scottish sporting occasions are of course the annual Highland Games or Gatherings and the origins of these trials of strength and skill lie deep in the past.

At one time the clans knocked the living daylights out of each other to acquire and hold enough territory to sustain themselves and these struggles often developed into feuds which continued long after the reasons for the original dispute were forgotten.

Some of the chiefs were concerned that their clans were being decimated as many of their best workers were slain in these pointless encounters.

*Clansmen into battle!*

They were being left with a lot of old tale-tellers, soothsayers and short-winded bagpipe players who could not carry out the day-to-day chores like cutting peats or growing tatties.

So the chiefs agreed to play-act their battles... from then on there was much roaring and shouting, much waving of swords and whirling of axes, but with no real damage being done to anyone.

Gradually the insults and the threats mellowed and the exchanges became wild boasts of the clans' prowess in various activities.

The MacDonalds said that they could jump higher in the air than the Campbells and the Campbells boasted they could run round a field in less time than anyone else.

Some claimed they could throw a pine log or a cannon ball further or they could put most fancy footwork into their war dances and the MacCrimmons said they could blow bagpipes louder than the MacHectors and for longer periods than the MacIsaacs.

In time the clansmen became bored with the exaggerated claims and to prove the point Highland Games were born. Meeting places were established in such places as Braemar and Cowal to see who really could jump highest, dance best, etc., etc.

Spectators began to turn up and the organisers introduced all kinds of complicated rules to make foul play possible and give the bystanders something to shout about. They also arranged for beer tents and groups of overdressed bagpipers and drummers to strut about.

*"Ah don't see nothin' in the rule book aboot no' wearing' a Huntin' Stewart kilt wi' Macalister breeks!*

*A possible reason for the Highland Fling could be a thistle in the heather.*

The old clan feuds have died down except in some housing schemes and the clansmen now prefer to sit beside their tartan trannies and dedicate the latest single at each other.

*THE BAGPIPES*

# THE BAGPIPES

No one knows who first stuck an old flute into an inflated goatskin and squeezed it to make a noise, but it could well have been a short winded snake-charmer somewhere in the Middle East!

Then he stuck in another flute to make more noise... then another... and another... until the thing looked like a porcupine.

The music wasn't all that wonderful close up and it sounded better in the open wilderness, but it worried the snakes and kept them in a stupor.

The noise was heard in the odd corners of street markets all over the ancient world but the peoples were not all that keen on snake charming and the bagpipe remained in its primitive state for centuries.

Progress came when the instrument moved indoors to provide music for the belly-dancing girls in the Kasbah.

The Scottish mercenaries often reached the Kasbah when in hot pursuit of the enemies of foreign princes who hired them.

They loved to relax with a hookah filled with hashish and watch the gyrations of the pretty dancers. They enjoyed the weird screeching and skirling of the bagpipes which somehow reminded them of misty bogs, wet rocks and heather.

A mercenary named McCrimmon ingratiated himself with one of the belly-dancers in his own rough way and persuaded her to swop her bagpiper for his ornate sporran which, he pointed out, would be very useful in her work.

McCrimmon of course only wanted the bagpipes and he dropped the swarthy piper over the side off Benghasi.

By the time he reached Skye he was an accomplished bagpipe player but like all Scots he liked to be on the move and consequently kept tripping over the many tubes.

His solution to the problem was to cut out half the tubes and substitute an empty haggis for the goatskin. This gave an easy to carry instrument.

He wrapped the haggis skin in a piece of tartan to keep his oxter clean.

The Scottish bagpipe had arrived.

It was so effective in causing distress to the enemy that, after Culloden, the Duke of Cumberland declared it an 'instrument of war' and banned it for thirty-five years. He felt it gave the Scots an unfair advantage.

*"Onything that's no' a pipe-band makes his whiskers bristle!"*

There is another development in Scottish traditional music which is worthy of comment.

The spotlight falls on a thing looking like a flexible juke-box on funny legs and when the eyes have become accustomed to the reflected glare from the multi-coloured plastic and plating the thing is recognisable as a piano accordian supported by a fully equipped Highlander. They player peeps over the top of his monstrous instrument like Chad on his wall and he seems to have difficulty with his face. He alternates a self-satisfied grin with an apologetic worried look as he plays faster and faster until Lady Aberfeldy's Fancy gets lost in the Birles o' Tullochgorm and ends up in a frantic Lord Tranter's Rant.

The reasons why the Italian piano accordian is favoured over the bagpipe and the fiddle as a Scottish national instrument is obscure, but the thought of a thousand magnificent Highland accordian players marching along Princes Street causes the mind to boggle slightly.

*The bagpipes always sound better when they are too far away.*

"They don't skirl like they used to."

"During his travels to remote places the professor has collected many strange artefacts!"

# THE HAGGIS

More nonsensical myths surround the haggis than the Loch Ness Monster.

Anyone who thinks that the thing served up in a carry-out haggis supper ever roamed about the braes amongst the blooming heather should have his head examined.

At best he is the victim of a cruel hoax.

This imitation haggis is obviously a savoury mixture resembling recycled porridge and is almost certainly the produce of a very hygienic factory where everyone wears a white coat and nothing is touched by human hand.

It might be said that it shouldn't even be touched with the end of a curly walking stick, but nevertheless, when it is boiled in the same slightly rancid cooking oil as the chips it quickly acquires the favour so beloved by connoisseurs of open-air eating...

In earlier times the real haggis was very much a do-it-yourself operation in far from sanitary conditions. It was made up from what was left after the family had eaten a sheep and this is almost too revolting to contemplate.

Apparently the chopped up remains were mixed with oatmeal and sewn up in the disused stomach of the sheep and often, as a result of clumsy needlework and inexpert boiling, the cook was left with what resembled a burst football floating in a rich nourishing broth.

*"A haggis is aye oven-ready, missus !"*

But a haggis properly assembled with loving care from the best ingredients by a dedicated specialist in his back shop, garnished with grated turnips and mashed potatoes grown without the benefit of artificial fertilisers and served in convivial company with a bottle of 12 year old whisky on the table is a gastronomic experience unequalled anywhere in the world.

One mystery is: who gave the dish its ridiculous name? Rabbie Burns became mixed up in the affair somewhere along the line calling it "a sonsie pudden" which seems an off-putting description to say the least.

It is possible that the name was coined by some inventive writer of scripts for the earlier exploiters of comic Scotchness who were always desperate for a laugh. He probably got a shilling for the idea and never realised what he had started!

*Some of the late-comers to the Scottish hotel scene are not sure whether it is the porridge or the haggis that is traditionally piped in.*

# PRESERVING SCOTLAND

There are societies in this country for the protection of almost everything and, if they intend leaving their empties, visitors should keep a wary eye open for conservation groups who are hell-bent on preserving rural Scotland.

They may find it difficult to reconcile the enthusiasm of these groups for the unsullied rural scene with the assorted debris which punctuates the scenery like modern sculpture at many of the remote beauty spots.

They can understand the rusty abandoned motor car lying at a grotesque angle in the bracken with its open doors squeaking in the wind. It probably just made it and no more to this post, laden with children and camping gear, before collapsing and dying on the unfortunate owner.

And the bicycle with spokes sticking out in all directions which lies in the trout pool could have been thrown there by a weary tourist fed up of pushing the thing up the endless hills.

But who, they ask, went to the trouble of fetching the one end of a brass embellished cast-iron bedstead which lies beside it? And who pushed the shopping trolley from some distant supermarket to thrust it into this clear mountain stream?

And who packed the foul mysteries into the black plastic bag and brought it to this lonely lochan?

*"Ah've goat a load o' auld mattresses an' burst sofas — whaur is the best place tae dump them?"*

# THE PORRIDGE

Now a word about porridge. Anyone who is accustomed to breakfasting on rich golden sun-drenched snapping and crackling cornflakes will get a shock when they are presented with a plate of hotel porridge.

In the fluorescent lighting of the dining room it looks like a bowl of off-white bill posters' paste which has gone wrong.

This slimy grey mess is not the stuff which sustained the mighty warriors in battle, caused cabers to be tossed or inspired the belief in Scottish mothers that their offspring's health depended on a stomach full of porridge to set them up for the day.

The real McCoy was made from a coarse-ground oatmeal which often contained character-building grit form the mill-stones. It was carried in a poke and mixed with water from a mountain stream when the owner felt hungry.

Even without trimmings it made a satisfying meal and if washed down with plenty of whisky could generate enough inner fire to start a feud in the season of good will to all men.

Always insist on the real thing even if there isn't a handy mountain stream.

*"We reckon if he'd eaten his parritch he'd be nine feet tall!"*

*A Victorian porridge bogie said to have been used at Balmoral. It was pushed about the moors by a gillie to sustain Prince Albert when he was slaughtering things...*

*Albert seems to have shot things four times a day after meals...*

# THE NATIONAL BEVERAGE

The addiction of the Scots to whisky was born of necessity.

Scotch mist is colder and wetter than ordinary mists and it can cool the brain to an alarming degree and penetrate to the marrow like a deep freeze.

The early settlers in the Highlands, who lived in holes in the ground, had their ranks decimated by the dreaded dry-rot which resulted from over-exposure to Scotch mist and it was only the accidental discovery of usquebach by an old speywife and the timely development of Harris Tweed protective clothing that saved the Scots from extinction.

The old lady was mixing up a tubful of seaweed and stale bread, God only knows what for, when she was called away. On her return a few days later the woman found the tub brimming-full of a foul-smelling liquid.

She was about to pour it into the sea when curiosity led her to dip her finger and sample the liquid. It was vile, she mused, but it might grow on you.

The old dear acquired the taste and she dipped her finger again and again into the tub. Soon she was as high as bog cheese and as her marrow thawed she danced in and round the tub like a mad thing.

The symptoms of dry-rot magically disappeared and she invited her friends to dip their fingers in her tub and soon their fears and discomforts were forgotten.

Before long news of the discovery spread around the countryside.

At first everyone was filling tubs with seaweed and old bread and their crofts stank to high heaven.

Many were sick to the stomach as a result of consuming excessive quantities of the foul-smelling liquor and it became apparent that the usquebach sickness as they called it was not much of an improvement on the old dry-rot.

Some of the more intelligent experimented and it dawned on them that it was the yeast in the bread which was fermenting the seaweed soup and that other more palatable and less noxious materials could be substituted.

They eventually settled on a mixture of grain and honey with pure yeast as the fermenting agent, but they were still left with the stinking mush as the end product until some unsung genius thought of distilling it.

From then on it was only a matter of refinement with much tasting, sniffing and blending.

The product has reached such a state of perfection that if a Scotsman sees anyone putting ice-cubes or fizzy drinks into the whisky he won't speak to them for days unless it is their turn to buy a round.

Traditionally the only additive permitted in a good whisky is Scotch mist, as a tribute to its part in the origin of the delectable beverage. Jugfuls of Scotch mist are provided free in almost every bar.

If the reader is misguided enough to be teetotal it may be of interest to know that a teaspoonful of whisky in the washing water will make the windows sparkle.

*"— and a happy new year to you Dr. Smedley."*

# WILD LIFE

"Already ah've been stung by a jellyfish, eaten alive by midges an' bitten by a cleg — is there naebody here on oor side?"

There is no wildlife in Scotland that the average visitor can't cope with except perhaps the Highland midge.

This little stinker is a man-eater in the true sense of the word and when fully grown can consume four times his own weight of tourist before breakfast. It has been said that if all the midges in the Highlands felt so inclined they could eat the population of Oban in a fortnight.

Visitors must take extra care in areas associated with the Campbell clan whose blood is so unattractive that the midges prefer to build up a voracious appetite for strangers. A Macdonald chief once said that you could always tell who were Campbells amongst the slain on the battlefield because the carrion crows avoided them.

Until they eventually developed a kind of immunity the remainder of the native population dealt with the midge problem by laying down their swords and jumping about waggling their feet and thrashing about with their arms. There is a theory that this jumping developed into Scottish Country Dancing!

*"If we listened to some folks we'd never go anywhere."*

Scottish weather is not always like this — sometimes the sun shines for hours on end.

At least Scotland doesn't have a monsoon season with solid rain falling vertically. At times it may hit you at an angle of thirty degrees in the teeth of an icy gale but more often it is just an insidious wetting process which creeps up on you out of the mist.

There is nothing that a yellow oilskin suit and a sou'wester and a pair of wellies can't keep out.

There is really no need to stay indoors permanently.

The number of times the roads have been blocked with snow during the tourist season in the past 20 years could be counted many times over on both hands and feet.

Anyway if the visitors listened to some folks they would never go anywhere and they might miss the good weather when it comes

"Ah don't need nae sixth sense tae ken whaur the hoosekeepin' money goes!"

"Young Donald has inherited the sixth sense — we've never found out what happened to the other five."

# SUPERNATURAL AND SIXTH SENSE

Highlanders love a mystery and derive a great deal of secret delight from relating tales of the supernatural to the supposedly gullible visitors. They can turn a minor mishap into an inexplicable and terrifying manifestation of the malice of the powers of evil.

They tell these tales in tones of exaggerated awe and relish the incredulity which meets them.

The days of ignorance and superstition may have waned but some of the daftness lingers on.

Sometimes the hand is over-played!

For instance, the famous Loch Ness Monster has lost much of his terrifying potential in the over-telling of his story. Familiarity has made him more of a figure of fun than a menace and he is the subject of many lampoons.

Up in the remote glens and lonely lochans it may be different, however, and the visitor should proceed with caution.

Here the wee folk may still dance in fairy rings and kelpies frolic at the water's edge.

The dire consequences of stepping on or offending wee folk are well-known and if any unfortunate incident should occur it is wise to leave a small gift such as a plate of porridge or a miniature.

There is another relic from the superstitious past in the many sooth-sayers, seers and speywives who still exercise their sixth sense in forecasting the most trivial of consequential events such as when the bats leave the belfry of St. Aidans the chief's eldest male heir will ride up the High Street on an iron steed.

The most famous of them all, the Brahan Seer, predicted that when the mereswine returned to the thrice blessed rock in Lochan Mohr there would be iron birds in the sky over Inveraray.

The old goat was right of course although the mereswine, whatever they were, never turned up.

"— And strangers will come in smoking chariots to destroy the birds of the air with shooting sticks every twelfth day of the eighth month!"

*And he got that one right as well.*

Scotch comic tending his curly-walking-stick plants as he awaits
the great resurrection of the music hall.

*It is often said that the Scots can't enjoy a joke but anyone who dresses up like this to sing about tramping through heather to see his Grandma's Highland home has to have a sense of humour.*

*Nowadays the Scots do not play bagpipes to frighten their enemies they do it to annoy the neighbours.*

# HISTORY YOU MISSED

*The good people of St. Andrews enjoying a nice fire provided by Cardinal Beaton*

# HISTORY YOU MISSED

*With mixed feelings Dr. Knox the famous anatomist of Burke and Hare fame accepts a gift of a carving set on the occasion of his retirement.*

# HISTORY YOU MISSED

*The Armstrongs, notorious Border Reivers, attempt to steal Mrs. Noble's cow.*

# HISTORY YOU MISSED

*The day Bobby forgot.*

*The day Gillean of the Axe set his whiskers on fire.*

# HISTORY YOU MISSED

*William Wallace complaining that he always gets left with the great big sword and asking what will happen to the Scottish nation if he injures his back or ruptures himself.*

# HISTORY YOU MISSED

*Mr. Burns meets with a problem.*
*and his concern for the wee coorin' timorous beastie is not shared by Highland Mary.*

# HISTORY YOU MISSED

*The Bonny Prince prepares to cross the Minch in an open boat.*

Mooses are not
just Scottish mice
they're very much bigger
and really quite nice
but only a fool would
offer them cheese
or tickle their knees
to make them sneeze
and if you give their
snouts a playful tweak
you may find yourself
out of sight
for at least a week.

# CHILDRENS PLAY-SONG

*Cracklestanes cracklestanes*
*upon your heid*
*Cracklebanes cracklebanes*
*until you're deid.*

**HIGHLAND CATTLE or KYLIES**
*Particularly fine animals which may be encountered anywhere in the Highlands. They have been cut out of hardboard and erected at strategic points by the Tourist Board.*

*Popular misconception...*
*They'll do anything for a bawbee.*

# HOW THE WEST WAS LOST
## or
# THE LAST OF THE McHECTORS

Sir Hector McHector, grandson of Hector of the Pointed Head sat in the Library and looked out through the hole in the wall at the bleak scene without. In the foreground a few black wet rocks glistened weakly, half-hidden in the sodden mahair. The rain fell steadily and, beyond, the grey sea merged with the sullen sky in a backdrop of gloom. A sorry cow stood up to its shrunken udder in the bog at the edge of the water and chewed sadly on a strand of sea-weed.

Sir Hector moved his rude bench to avoid the constant drip from the moss-covered ceiling and from a wooden bowl with a broken handle took a long draught of oatmeal porridge laced with home-made whisky.

He wiped his lips and dried his whiskers on the hem of his kilt.

"What an hellish place is my proud heritage!" he said.

He ruminated. His ancestors had been out-and-out rotters, barbarians of the worst type — moronic destroyers of anything that might be cherished. Throughout the centuries they had been cast out from every developing society as enemies of progress and been pushed farther and farther across the plains and mountains of Western Europe, in front of the advancing tide of so-called civilisation, until they had reached the very fringe of that continent, Ireland and the Western Isles, where no further retreat was possible, at least until Columbus discovered America.

The wet and misty Highlands and Islands had little real attraction for the fun-loving Continentals and the pressure was eased, although the outcasts had at times to fend off the half-hearted efforts at conquest of succeeding empire-builders and autocrats greedy for the prestige of territory even if it was unattractive to them and more or less useless for any purpose other than holidays.

Generally speaking they had been unmolested except by other refugees from civilisation like the Vikings. They had burrowed into the water-logged ground and with stone and turf had constructed crude protection from their unenthusiastic invaders and each other and also to provide shelter from the awful weather.

Wakened by starvation and crippled by rheumatism they had been comparatively easy to contain and had been little more than an occasional irritation to their slightly more civilised neighbours in the South.

Their occasional attempts to break away from the confines of their wilderness had failed because their military strategy was restricted to making faces and whooping war-cries to terrify the enemy prior to joining in an insane rush to impale themselves on his weapons. Their numbers had also been decimated during the arguments about who should run on the left or right side of the rabble. They had never won a battle of any real consequence.

The battles had been arranged more or less as sporting events much as shooting parties are today and had brought much honour to the opposing General who had only to sit astride his horse on a nearby hillock and wait.

After each battle the bleak countryside had been subjected to the usual rape and plunder although this must have been most unrewarding and hardly worth the effort. Because of their bizarre dress it was often impossible to tell the men from the women and it is very difficult to set alight a sodden hovel — even when successful the thing smoulders and could be re-occupied as soon as the rapacious victor had gone.

If no-one considers it worth his while to chase you further it is easy to claim that you have never been conquered!

These regular events and the continual squabbling which went on amongst them had kept the population of the area at a reasonable level.

Sir Hector reflected that even without the self-destruction the balance would undoubtedly have been preserved by the starvation diet and the appalling living conditions, but it wouldn't have been so much fun.

He took another slurp of porridge then lifted the great handbell and shook it. Flakes of old limewash floated down from the ceiling like mouldy snow.

The rough door protested as it was heaved aside and a sturdy Highland lass of striking aspect strode into the Library. An amazing cloud of blown bright red hair crowned her proud head and she was smoking a short clay pipe which hung upside down from the corner of her luscious mouth. She wore a voluminous drab grey homespun gown which was gathered round her slender neck to a silver buckle. It was slit to the thigh for ease of movement and as she leapt onto the rough table and gracefully posed she showed a home-made sheepskin boot on the end of a shapely leg.

"You rang, Sire, or my name is not Madge Wildfire," she cried, holding her pipe and spitting into a large puddle. "I rang, my dear, and you are not Madge Wildfire, you are the lovely Kirstie McInnes, beautiful offspring of the McInnes of the Byre who have been the Clan cowmen from time immemorial and since you came in the smell of cows has mingled with the aroma of wild tobacco and old porridge. What is a nice girl like you doing in a place like this? Bring me my outdoor things, Kirstie. My Highland plaidie, my targe, my angora wool sporran and my Andrea Ferrara sword-stick. I shall go out a nd make the usual challenge."

Watched by Kirstie he jumped off the end of the rotted drawbridge into the bog and floundered towards the ancestral burial mound, the traditional challenging ground of the Clan. He clambered onto the slippery evil-smelling hillock and waved his sword-stick fearlessly.

"Usquebach pibroch hennykin skol," he bellowed in a kind of pidgin Gaelic. It was the war-cry of the McHectors which had often struck terror into people in parts which no other war-cry had reached. Roughly translated it means "You lily-livered Viking swine, who do you think you are?"

Sir Hector struck a menacing attitude and peered into the mist.

"Your sporran is getting wet, Sire. You'll get a chill sure as anything and it takes hours to dry before these awful peat fires," said Kirstie.

"Is no kind-hearted soul going to challenge my right to hold this lousy land of my fathers?" asked Sir Hector plaintively of the invisible world. He wiped his face with his wet sporran.

"Excuse, please, kind sir could you us direct to the Lord of this delectable land which has so great development potential?"

Sir Hector stiffened. The thin sound came from two figures emerging from the mist.

They were dressed in wet faultless morning suits and their bowler hats were raised in salute.

"We are the public relations of the Mitsui-neder-Cayman Speculative Investment Trust of Shambabwi, a most highly-thought of trustworthy trust, and we offer many millions of yen for the honour of exploiting this beautiful wilderness.

Sir Hector relaxed and his little eyes glistened.

"Come awa' in and sit ye doon on something and let us hear what is in it for Hector.

"Kirstie, hen, fetch another barrel o' porridge!"

"Can we have it in pesetas?" asked Kirstie.

I'll throw in the old cow," added Sir Hector trying not to appear too eager.

"In any world currency Miss Kirstie. It is our intention to establish an International Finance House on one of the uninhabited rocks in the fine sea-loch upon which the Honourable Sir can draw at any time free of income tax. Thousands of residential vans will be parked in the swamps and thousands of plastic Swiss-style chalets imported from Taiwan will be erected on the hillocks. The Castle will be refurbished as a Beer Hall complete with bingo, potato crisps and a discotheque".

"O here that'll be rare," said Kirstie, "but I'm afraid we wont be benefitting from these great improvements. Hec and I will be far away in our two-person studio-type appartmente in teeming downtown Magalluf in Majorca or my name is not Madge Wildfire."

"Correction, please! Mountain belong Kyoto, Mitsui, Togosaki Insurance Corporation!"

*"Jings, Hamish. Could ah huv the name o' yer hair stylist?"*

*"Hoo much did ye tip the waitress, Dougal?"*

The Scots have acquired a reputation for meanness and even the most kindly disposed observer and mealy-mouthed apologist will find it impossible to deny that this is the case.

A more cruel observer might go so far as to say that there is evidence of naked greed and ruthless avarice.

The ancient and modern history of Scotland abounds with examples of the Scots' lust for possession, property and power and his disgraceful antics to hold on to them.

However the most kindly disposed observer will find it equally impossible to deny that the English, the French, the Germans, the Dutch, the Spaniards and the citizens of Ngumbo-Ngumbo are just as greedy and that the ancient and modern history of England, France, etcetera abounds with examples of similar lusts!

*"We've got a right wan here, Doc. He tried tae sniff super glue."*

*"Dinna worry if ye hear eldrich screechin' and insane laughter echoin' through the corridors. It'll just be Her Leddyship showin' a pairty o' veesitors around!"*

"I arrest you, Betty Burke, alias *Prince Charles Edward Stuart*, in the name of the law!"

"I have a very personal question I'd like to ask him!"

"He only arrived here a couple of hours ago and already he makes like a Highland chief."

"Madam! You are standing on ma hem!"

"Ma application for membership o' International Pen Pals Unlimited has been accepted!"

"I beg your pardon — I thought all you people had been cleared out of these places by the Duke of Sutherland."

*"Nellie, huv we goat a Wullie?"*

*"The doors keep comin' aff in ma haun's!"*

*"The Gas Board! Come awa' in — Ah wiz afraid ye might be bogus workmen!"*

*"First in the black currant section, Mrs. Fairgrieve!"*

*The North American second cousins arrive for the International Gathering of the Clans.*

# Eurig Salisbury

# Cai

ENILLYDD Y FEDAL RYDDIAITH
EISTEDDFOD GENEDLAETHOL CYMRU
SIR FYNWY A'R CYFFINIAU 2016

Gomer

Cyhoeddwyd yn 2016 gan
Wasg Gomer, Llandysul, Ceredigion SA44 4JL
www.gomer.co.uk

ISBN 978-1-78562-175-8
ISBN 978-1-78562-176-5 (ePUB)
ISBN 978-1-78562-177-2 (Kindle)

Cyhoeddir gyda chymorth ariannol
Cyngor Llyfrau Cymru.

Argraffwyd a rhwymwyd yng Nghymru ar ran
Llys Eisteddfod Genedlaethol Cymru gan
Wasg Gomer, Llandysul, Ceredigion.

i mam a dad

# 1

Aberystwyth mewn machlud hudol o goch ac oren a melyn. Aber yn yr hwyr, a'r pier yn silwét inc du ar gefnlen o awyr binc ysblennydd. Aber ym min nos, a gala o dwristiaid yn cerdded y prom. Aber o ben Consti, a holl oleuadau'r dref yn pefrio fel mwynglawdd mewn maes glo. Ac adar drudwy, drudwyod di-ri yn dawnsio'n un haid ddiddarfod, ddiwahoddiad mewn defod na ŵyr neb ei diben.

Ac yn eu canol, ymysg y lluniau olew a dyfrlliw a grogai'n rhes ar wal yr oriel, roedd un cynfas bras a darn bach o bapur wedi ei flwtacio wrth ei ymyl.

'Untitled'
Cai Wynne
Research Student

Syllodd un o ferched yr ail flwyddyn ar y darn papur, cyn cymryd cam yn ôl i rythu ar y cynfas. Crychodd ei thrwyn.

'But, I mean, it could be anywhere, right?'

Ebychodd ei ffrind mewn dirmyg ac aeth y ddwy yn eu blaenau.

Nid unrhyw le, dywedodd Cai drwy ei ddannedd, ond y môr yn Aberystwyth. Tybed a flinwyd meddwl yr hulpen hon erioed gan y syniad fod paentio llun o'r môr yn eithafion lliwgar y machlud yn hawdd, ac mai camp anos oedd paentio llun o'r môr mewn golau dydd diddigwydd, heb na heulwen lachar na chymylau trymion i oleuo llwydni'r dyfnder maith? Dyma'r môr yn Aberystwyth ar brynhawn Llun, pan na chodai neb ei ben i'w weld yn ei ddillad gwaith ac eithrio'r ychydig drueiniaid a chanddynt ddim ar ôl i'w wneud ond syllu mas pan fo pawb arall i mewn.

Safai Cai ychydig o'r neilltu, y dyrfa'n araf gylchdroi o'i amgylch wrth ymlwybro'n ddeddfol o'r naill lun i'r nesaf. Gwelsai'r un math o luniau ganwaith. Ceisiodd eto gofio pam y bu iddo gytuno i arddangos ei waith ochr yn ochr ag israddedigion ac artistiaid amatur y dref, a wahoddid i'r oriel bob blwyddyn mewn ymgais anfoddog gan yr adran i brofi ei bod yn ymwneud â'r gymuned. Cofiodd mai ar gais ei diwtor, Jarvis Smith, y cytunodd i dynnu un o'i hen luniau o'r stordy, a hynny i gadw'r ddysgl yn wastad rai diwrnodau cyn ailgyflwyno ei gais am arian ymchwil. Daeth y cais gwreiddiol yn ôl ryw fis ynghynt gyda chwestiynau wedi eu hatodi, a chawsai gymorth parod ei diwtor i'w hateb. Disgwylid y penderfyniad terfynol ymhen rhai dyddiau.

Cafodd gip ar ei diwtor yn ysgwyd llaw â hwn a'r llall gerllaw ei gyfraniad ef ei hun i'r arddangosfa, ffotograff mawr o'r gofeb ryfel ar benrhyn y castell wedi ei drin i greu effaith yr oedd Cai wedi clywed mwy nag un o'r gwesteion yn ei ddisgrifio'n ganmoliaethus fel 'very surreal'. Gwenodd wrth gofio ei gyn-ddarlithydd yn esbonio mai gair amhendant oedd 'swreal' a ddefnyddid bron yn ddieithriad gan anwybodusion i labelu unrhyw waith â golwg ryfedd arno. Pe na bai'n noson groesawu ar ddechrau tymor newydd, gwelai Cai oddi wrth y straen ar wyneb ei diwtor na fuasai dim yn well ganddo nag aildwymo'r bregeth honno heno.

Yfodd weddill ei sudd oren rhad ac anelu am y drws. Gwisgodd ei got yn y cyntedd, ac roedd ar fin gadael pan ddaeth wyneb Jarvis Smith i'r drws.

'Tomorrow morning. Just had an email saying they're posting the decisions online first thing.'

'So I'll get an email?'

'No, you'll have to come by my office by nine.'

Cofiodd Cai nad oedd y canlyniadau ond ar gael i'r rheini a chanddynt gyfrinair arbennig a anfonid atynt fisoedd ynghynt.

'Ok, nine o'clock.'

'See you then. And thanks, Cai, for taking part tonight.'

Ar ei ffordd yn ôl i'r tŷ o'r Ysgol Gelf ceisiodd Cai ddyfalu a oedd Jarvis Smith, hyd yn oed, wedi craffu'n ddigon manwl ar ei lun dienw o'r môr yn Aberystwyth. Islaw'r hyn a oedd yn y golwg roedd haen gynharach o baent na fyddai neb yn debygol o'i gweld pe na bai'n chwilio amdani. Byddai rhoi i'r llun y teitl 'Maes Gwyddno' wedi bod yn llawer rhy amlwg.

# 2

Cododd Cai o'i wely am saith. Aeth yn syth i'r
gawod. Bu'n aros am rai munudau i'r dŵr gynhesu
cyn cofio bod y gwres wedi ei ddiffodd. Roedd y
bathrwm ar y llawr uchaf o bump, a'r boiler ar y
llawr gwaelod. Sugnodd ei wynt i mewn drwy ei
ddannedd a heriodd frath y llif.

Roedd y tŷ ar Union Street yn wag ac yn oer
ac yn llaith fel ogof. Gadawsai pob un o'r chwe
phreswylydd arall yn ei dro dros yr haf, y rhan fwyaf
ohonynt i chwilio am swyddi yng Nghaerdydd, gan
chwalu'n derfynol griw o ffrindiau a fu'n cydletya
mewn gwahanol dai anllad ar hyd a lled Aber ers yn
agos i bedair blynedd. Roedd y criw wedi crebachu
i dri ers rhyw fis, a phawb wedi hen synhwyro'n
dawel na fyddai pethau'r un fath eto. Roedd Cai yn
dawel falch pan gafodd y tŷ iddo'i hun, ond bellach
roedd gorfod mynd heibio'r ystafelloedd gweigion
wrth fynd a dod o'r llawr uchaf yn codi'r felan
arno. Edrychai ymlaen at gael ymadael â'r lle o'r
diwedd pan symudai criw newydd o fyfyrwyr yr ail
flwyddyn i mewn ar ddiwedd yr wythnos, ac yntau'n
swatio mewn fflat fach newydd ar Chalybeate Street.

Roedd wrthi'n llenwi'r tegell yn y gegin pan
gofiodd nad oedd coffi yn y tŷ. Sodrodd ei gwpan
fudr yn y sinc ac aeth allan am frecwast i gaffi ar
North Parade. Dau wy ar dost a mŵg o goffi du.

Cyrhaeddodd adeilad urddasol yr Ysgol Gelf rai munudau cyn naw o'r gloch. Aeth i mewn fel y gwnaethai ganwaith drwy'r drysau uchel a thrwy'r cyntedd eang tua choridor y staff. Daeth at ddrws ac arno'r geiriau

Dr J Smith BA PGDip PGCE PhD
Reader in Art History

a churodd arno. Llithrodd y drws ar agor ryw fymryn. Arhosodd Cai am ymateb o'r tu mewn. Doedd neb yno. Drwy'r hollt agored gallai weld fod yr ystafell yn olau a sgrin y cyfrifiadur ynghyn. Edrychodd i lawr y coridor. Cerddai myfyrwraig tuag ato.

'Is Dr Smith around?' gofynnodd.

Cododd y ferch ei hysgwyddau wrth fynd heibio.

Gwyliodd Cai hi'n mynd i lawr y coridor, yna syllodd eto drwy gil y drws. Sylwodd nad oedd sgrin y cyfrifiadur wedi pylu eto, felly allai ei diwtor ddim bod ymhell. Gwthiodd y drws yn agored fymryn pellach. Safai'r gadair wag o flaen y ddesg yn ei wynebu, fel pe bai Smith anweledig yno'n ei wylio wedi'r cyfan. Cymerodd gam i mewn i'r ystafell, a daeth arogleuon coffi a chemegion paent i'w gwrdd. Roedd ar fin ei throi hi pan drodd ei lygad yn reddfol at enw cyfarwydd ar sgrin y cyfrifiadur. Ei enw e. Aeth yn nes a phlygu ymlaen dros y gadair.

Craffodd ar y sgrin am eiliad, yna trodd ar ei sawdl a gadael y swyddfa. Aeth i lawr y coridor a thrwy'r cyntedd ac yn ôl allan drwy'r brif fynedfa.

Roedd wedi gwastraffu haf cyfan. Dylai fod wedi sylweddoli i ba gyfeiriad yr oedd y gwynt yn chwythu pan ymadawodd yr olaf o'i ffrindiau rai wythnosau ynghynt. Roedden nhw i gyd mewn oedran ennill cyflog bellach, siŵr iawn. Roedd yn hen bryd iddo dyfu i fyny a wynebu'r byd go iawn.

Aeth o olwg yr Ysgol Gelf rhag i neb ei weld. Byddai sôn amdano ymhen dim o dro. Yr ymgeisydd aflwyddiannus. Byddai rhai'n honni bod amheuon wedi bod yn ei gylch erioed, ac nad oedd dyfarniad y cyngor ymchwil yn ddim ond cadarnhad o hynny.

Aeth yn ôl i'r tŷ gwag. Mewn pwl o rwystredigaeth fe benderfynodd yn sydyn roi'r gorau i'r lle y diwrnod hwnnw. Taflodd ei ddillad a'i esgidiau i fag du a llwytho gweddill y trugareddau nad oedd eisoes wedi eu pacio i gesys parod, a'u cario i'r llawr gwaelod mewn tri thrip. Gallai gario'r cyfan i'r fflat newydd heb orfod symud y car a cholli ei le parcio. Ac yntau eisoes wedi codi'r allwedd i'r fflat newydd rai dyddiau yn ôl, sylweddolodd mai cymysgedd o ddiogi a sentiment annoeth yn unig a oedd wedi ei gadw'n wystl i'r hen dŷ cyhyd.

Cariodd y llwyth cyntaf ryw dri chan llath i'r fflat ar Chalybeate Street a'i adael yn y cyntedd. Aeth yn ôl i ymofyn y gweddill. Ar ei ffordd allan drwy'r drws, cofiodd am y lluniau a'r cynfasau a'r brasluniau lu yr oedd wedi eu storio ers rhai wythnosau yn yr ystafell fyw. Rhegodd y cyfan, o bob maint a siâp. Doedd ganddo fawr o amynedd i'w cario'n ofalus i'r fflat, ond fe wyddai hefyd y byddai'n edifar ganddo yfory pe bai'n plicio'r paent neu'n baeddu'r siarcol. Chwaraeodd am eiliad â'r syniad o'u gadael yno i'r landlord neu'r myfyrwyr newydd wneud a fynnent â nhw. Ond fe wyddai mai i'r tip y teflid tipyn brasluniau pob rhacsyn cyn-fyfyriwr.

Cymerodd dri thrip arall iddo wagio'r tŷ. Clodd y drws ffrynt am y tro olaf, a cheg agored y twll llythyrau yn ei wawdio wrth iddo droi'r allwedd. Roedd y geg honno wedi bod yn sugno aer oer i'r tŷ byth oddi ar ryw barti tŷ yn yr ail flwyddyn, pan lwyddodd un o'r gwesteion i'w rhwygo i ffwrdd i ennill bet. Ffliciodd yr allwedd i mewn drwyddi a'i chlywed yn tincial ar y llawr caled tu mewn.

Gadawodd Cai Union Street a cherdded yn ôl i Chalybeate Street drwy Cambrian Place. Teimlai siâp a phwysau ei allwedd newydd yn ddieithr rhwng ei fysedd. Roedd y fflat newydd yn llawer llai na'r tŷ. Doedd yno ond lle i dri phreswylydd a rannai ystafell ymolchi ar yr ail lawr a chegin fach yn y cefn a chanddi olygfa dros iard gul. Yr un oedd yr arogl a'i croesawai, serch hynny, â phob fflat neu dŷ myfyrwyr arall drwy'r dref i gyd, sawr cryf hen garpedi a olchwyd ac a ailolchwyd hyd syrffed. Gadawodd Cai y rhan fwyaf o'i luniau yn y coridor, ac aeth â'i fagiau i'w ystafell hirgul ar y llawr cyntaf, lle roedd gwely, bwrdd a chadair, a sinc yn y gornel.

Wrth daflu'r bag olaf ar y gwely fe deimlodd ei ffôn yn dirgrynu yn ei boced.

> Cai
> Sorry I missed you this morning, must have just popped out.
> Paul said he saw you leave. If you don't already know, I'm afraid it's bad news. Can't understand it. You had a strong application, especially since we covered their questions in the second round.
> Would be good I think if we could meet to discuss ways forward. Have talked to Harvey about other possible trusts that might be interested, some pots around for those who know they're there ...

Aeth ymlaen i sôn am gyfleon dysgu anffurfiol yn yr adran ac am arddangosfeydd lle gallai Cai hyrwyddo ei waith.

> ... always worth reshaping the application. Some possible sources I know of will like the subject matter, but may require it to be in English.
> Let's talk. I'm busy now until the end of the week.
> JS

Eisteddodd Cai yn y gadair a rhoi ei ffôn i orwedd ar y bwrdd. Dyna'r drefn, debyg, a byddai'n synhwyrol ei dilyn. Ac yntau wedi symud i fflat newydd, roedd rhent uwch i'w thalu bellach. Roedd ganddo ryw ganpunt ar ôl yn ei orddrafft, digon i bara rhyw fis, efallai, cyn y byddai'n rhaid iddo ddechrau talu llog ar ei ddyled. Doed a ddelo, byddai'n syniad da iddo holi am waith rhan-amser yn un o dafarndai'r dref.

Roedd Cai ar fin dechrau ar y gwaith dadbacio pan ddaeth awydd drosto'n sydyn i fynd i redeg. Daeth o hyd i'w esgidiau rhedeg mewn hen fag plastig a thynnodd hen grys-T a shorts o grombil y bag du. Ymhen rhai munudau roedd ei wadnau'n taro rhythm cyson ar darmac y dref ac awel Medi fel cadach ffres ar ei dalcen. Dilynodd ei hen gylch rhedeg dros y bont i Drefechan, gan osgoi tyrfaoedd dechrau'r tymor a oedd yn tagu canol y dref gyda'r hwyr. Drwy Benparcau ac i lawr y rhiw serth tua Llanbadarn, a throi wedyn at gaeau agored Blaendolau. Roedd golau dydd yn dechrau pylu pan gyrhaeddodd y stad ddiwydiannol a throi'n ôl at Lanbadarn. Aeth heibio'r eglwys ac yna'n ôl at ganol y dref ar hyd Coedlan Plas-crug, a'r goleuadau stryd yn cynnau ar ei ôl. Taflodd gip cyflym at yr Ysgol Gelf drwy'r coed cyn hoelio ei sylw'n ôl ar y llwybr o'i flaen.

Roedd hi'n nosi pan gyrhaeddodd Chalybeate

Street a throi ei allwedd yn chwyslyd yn y clo. Aeth i'r gegin am gwpanaid o ddŵr oer o'r tap. Cafodd ei wynt ato, ac aeth i'w ystafell i ddiosg ei ddillad. Cloddiodd dywel glân allan o un o'r bagiau a'i rwymo amdano.

Ar y ffordd allan drwy'r drws sylwodd fod ei ffôn yn fflachio. E-bost arall gan Jarvis Smith. Pwysodd Discard. Cododd gliced gloi'r drws a diffodd y golau.


# 3

Yng nghesail Pont Trefechan roedd tafarn Rummers dan ei sang. Dan nenfwd isel y bar pren roedd band oedrannus yn gwneud ymgais deg i efelychu rhai o ganeuon pop y nawdegau, a chynulleidfa floesg yn araf droi'n fyddar o'i flaen. Ar y meinciau hirion y tu allan swatiai'r siaradwrs a'r smociwrs dan olau neon rhes o wresogyddion main.

Eisteddai Cai ar fainc yng nghysgod y bont. Roedd gwydr wisgi yn ei law a gwên fach flinedig ar ei wyneb. Ar ochr arall y fainc eisteddai cwlffyn o ddyn moel mewn crys-T tenau gyda barf ddu doreithiog dan ei ên a sbectol drwchus ar ei drwyn.

'A pheth arall,' dywedodd y moelyn, 'tydi'r babell lên yna'n dda i blydi ddim. Twrw gwynt yn ysgwyd y peth i'w ffrâm fatha sied warthag yn gaea. A seti gwaeth na rhai capal ar ddiwadd cymanfa ganu ddiawl. Barith o ddim, sti.'

Chwarddodd Cai a chymryd sip o'i ddiod. Doedd Dyfan ac yntau erioed wedi bod yn ffrindiau agos, ond pan welai'r ddau ei gilydd yn achlysurol roedd y sgwrs bob tro'n ddifyr. Rhoi ei farn liwgar ar y byd a'i nain oedd un o hoff bethau Dyfan, ac roedd Cai yn wrandawr da. Ac yntau'n troi mewn cylchoedd pur wahanol, roedd cwrdd â Dyfan bob nawr ac yn y man yn ffordd dda i Cai gadw ei glust at y pared. Yn wir, roedd Dyfan yn ddigon o syndod i'r rheini nad oeddynt yn ei adnabod. Darlithydd Astudiaethau Celtaidd a enillai gildwrn bob hyn a hyn yn porthora clybiau nos y dref ar gownt ei faint a'i olwg galed. Arbenigwr ar ffurfiau berfol Hen Wyddeleg a wisgai grys-T pan oedd pawb arall ar feinciau'r dafarn yn eu cotiau trymion. Tynnai'n fympwyol ar sigarét a pheint o chwerw am yn ail.

'Sut ma pethe lan ar y campws?' gofynnodd Cai.

'Iawn. Fawr o le i gwyno. Ond mae 'na storm ar ei ffor', gwylia di. Glywist ti am y ffŵl o'r drydedd, rhyw swyddog yn yr undeb acw? Meddwl 'sa'n syniad da gneud fideo'n cwyno bod y cymdeithasa'n gorfod cyfieithu popeth i'r Gymraeg. M'o'n llywydd y Gymdeithas Ganoloesol, o bob peth – ia'r rheini sy'n cerad o gwmpas 'fo tariana a chleddyfa plastig – ac mi ddudodd o fod yr iaith yn wastraff arian.

Aros di tan ddoith hyn i glyw'r myfyrwyr Cymraeg. Fyddan nhw am ei waed o.'

Cytunodd Cai yn ddi-hid. Anaml y dôi stormydd protestiadau'r Cymry tanbaid i fennu ar gytgord tawel yr Ysgol Gelf.

'Sut hwyl efo'r cais?' gofynnodd Dyfan.

Ysgydwodd Cai ei ben a syllodd i'w wydr.

'I'r diawl â nhw,' atebodd Dyfan.

'Ie,' cytunodd Cai. 'Dwi'n ryw feddwl mynd i Gaerdydd. Dyna ble mae pawb arall. Bedwyr oedd yr ola i fynd i lawr, ryw bythefnos 'nôl, heb arwydd o swydd, ond mi oedd e'n ffyddiog o ddod o hyd i un.'

Cyneuodd Dyfan sigarét arall.

'Be am dynnu llunia?'

Ysgydwodd Cai ei ben.

'Rois i'r gore iddyn nhw llynedd.'

'I be?'

'Yn union. I be? Chydig iawn oedd yn gweld dim ynddyn nhw.'

'Ond mi oedd rhai?'

'Ambell un. Neb 'da unrhyw arian i'w sbario. MPhil oedd yr unig ateb, i ddweud y gwir. A dwi'n falch 'mod i wedi neud hwnnw. Hanes celf yn talu'n well na'i neud e.'

'Ar yr un pwnc oedd y ddoethuriaeth i fod, ia?'

'Ie, fwy neu lai. Yr artist 'ma o Feirionnydd. Un o'r "grossly neglected artists", os dwi'n cofio geiriad y cais yn iawn. Sgwn i faint o geisiade ma'r AHRC yn eu cael bob blwyddyn yn begio am arian i astudio "a terribly neglected" hwn a hwn neu hon a hon?'

'Fatha chdi, ti'n feddwl?'

Chwarddodd Cai.

'Ie. I was never appreciated in my own time, man!'

Chwarddodd Dyfan.

'Dwi am dy alw di'n Fan Goch o hyn allan.'

Gwenodd Cai, ond buan y toddodd ei wên yn raddol yn ei wydr wisgi.

'Ma pentwr o lunie gradd yn y fflat. Symudes i nhw heddi o'r hen dŷ. Ddalies i'n hunan jyst yn sefyll 'na o flaen un ne ddau, jyst yn edrych arnyn nhw. O'n i'n gallu cofio faint o waith rois i mewn iddyn nhw. A dwi'n dal i feddwl eu bod nhw'n llunie da, ti'n gwbod? Ystyron, techneg. Ond o'n i'm yn gallu stopo meddwl – yden nhw? Yn dda, go iawn? Os nad yw neb arall yn credu 'ny?'

''Swn i'n meddwl eu bod nhw, 'swn i'n eu gweld nhw.'

'Byset, gobeithio. Ond hyd yn oed wedyn ...'

Trodd Dyfan ei ben i'r ochr i chwythu mwg tua'r bont.

'Yn y pen draw,' dywedodd wrth ddiffodd ei sigarét mewn blwch ar y bwrdd, 'fedr neb ddeud y naill ffordd na'r llall. Chwaeth ydi chwaeth.'

'Beth yw'r pwynt, felly?'

Cododd Dyfan ei ysgwyddau mawrion.

'Wn i ddim, Fan. Hunangysur? Os cei di fwynhad allan ohonyn nhw, be 'di'r ots? Siawns y daw rhywun atyn nhw ymhen canrif neu ddwy a dod o hyd i dy gyfrinacha i gyd.'

'Fawr o gysur, a finne 'di torri 'nghlust i ffwrdd yn y cyfamser.'

Gwenodd Dyfan yn goeglyd wrth ddrachtio'i beint.

''Sa waeth iti ddynwared ddim,' dywedodd dan bwyntio'i wydr gwag tua'r sŵn a oedd yn dal i ddod o gyfeiriad y bar. 'Gymri di un arall?'

''Se well imi'i throi hi,' atebodd Cai. Roedd effaith y jog yn gwneud iddo deimlo'n benysgafn, a diffyg bwyd yn dechrau cnoi yn ei stumog.

'Tan tro nesa, felly,' dywedodd Dyfan gan estyn ei law.

Galwodd Cai heibio siop gebáb ym mhen uchaf y dref ar ei ffordd adref. Bu bron iddo droi i Union Street o hen arfer, a chafodd anhawster agor clo drws y fflat. Syrthiodd i gysgu ar gadair yn ei ystafell ar ôl llowcio llai na hanner ei bryd.

# 4

Cerddodd mam a merch fach i mewn i'r siop goffi, y ddwy'n ysgwyd eu cotiau glaw rhag y gawod a oedd yn prysur ildio i ddarnau toredig o heulwen tu allan. Heb yn wybod iddo'n iawn, dechreuodd Cai dynnu llun o'r pâr gwlyb ar hysbyseb wag a lenwai dudalen gefn y papur newydd ar y bwrdd o'i flaen. Dilynodd blaen y pensil eu hamlinelliad fel pìn yn mesur symudiadau'n fympwyol ar graff, anhrefn ar yr olwg gyntaf yn araf droi'n eglur gydag ambell linell drom a awgrymai'n gynnil ffurf ysgwydd neu fraich. Eisteddodd y ddwy a gollyngodd Cai ei afael. Edrychodd i lawr ar y papur. Doedd e ddim wedi colli'r ddawn efallai, dim ond yr arfer. Roedd pen y fam yn rhy aneglur a doedd corff y ferch ddim ar yr un raddfa, ond eto roedd wedi llwyddo i gyfleu eu perthynas fel mam a merch.

Trodd ei sylw at ei ffôn. Y peth cyntaf a wnaeth ar ôl deffro'r bore hwnnw oedd anfon neges at un o'i ffrindiau yng Nghaerdydd. Holodd am rywle rhad lle gallai rentu ystafell yn agos at ganol y ddinas am gyfnod byr, cyn y câi gyfle i gael ei draed dano. Roedd y ddau wedi ffraeo dro'n ôl ynghylch rhywbeth nad oedd Cai hyd yn oed yn ei gofio bellach, ac roedd y neges yn gyfle hefyd, fe obeithiai, i droi dalen newydd. Ond a hithau'n ganol y prynhawn a'r ffôn yn ddistaw, roedd Cai yn dechrau anniddigo.

Bu'n eistedd yn ei wely y bore hwnnw am ryw awr ar ôl deffro yn syllu ar y bocsys yn bentwr wrth y drws. Gallai weld yng ngheg un bocs agored rai o'r llyfrau y bu'n eu hastudio ar gyfer ei radd MPhil ac wrth lunio'r cais aflwyddiannus am arian. *The Dragon's Palette: Welsh Art 1979–99. Gathering Gems with the Eye: 15 Welsh Artists.* Teimlai ryw gywilydd rhyfedd wrth lygadu'r cloriau a oedd wedi dod mor gyfarwydd iddo, fel pe bai eu cynnwys wedi ei dwyllo rywsut i gredu y gallai ymestyn ei astudiaethau rai blynyddoedd yn hwy. A chyhoeddi, efallai, er clod i'w enw fel ymchwilydd deheuig a dorrodd dir newydd ym maes celf Cymru. Mor ddiamau y coeliai yn y freuddwyd ffug honno ryw bedair awr ar hugain ynghynt.

Bwriadai alw heibio i ambell dafarn cyn mynd yn ôl i'w fflat. Byddai'n syniad da iddo ennill ceiniog neu ddwy yn absenoldeb y grant, ac roedd gwaith tynnu peints a glanhau byrddau gystal ag unrhyw waith arall am arian parod a sgwrs.

Eto i gyd, i beth y trafferthai, os gallai ddod o hyd i wâl yn y ddinas? Wedi meddwl, gallai ddod â'i gytundeb yn y fflat i ben ar ddiwedd y mis heb unrhyw drafferth, a hel ei bac am yr eildro o fewn ychydig ddyddiau.

Cododd ei ffôn a phwysodd ar rif y landlord. Wrth i'r dôn ddechrau canu daeth neges arall ar y sgrin.

Incoming Call
J Smith

Syllodd Cai ar yr enw am rai eiliadau. Pwysodd End and Receive.

'Hello, Cai?'

'Hello.'

'Where have you been? Did you get my email?'

Ceisiodd Cai feddwl am ateb call, ond aeth Jarvis Smith yn ei flaen.

'I tried to reach you this morning, but it went straight to answerphone. Anyway, something unexpected has come up. We should talk as soon as possible. Can you come in this afternoon, say in an hour?'

Syllodd Cai ar y fam a'r ferch ym mhen draw'r caffi. Roeddynt wrthi'n ailwisgo eu cotiau glaw, a'r fam yn plygu i lawr i gau botymau'r un fach. Roedd y glaw wedi dechrau disgyn eto yn y stryd.

'Cai?'

'Yes. Thanks, Dr Smith, I'll be there at four.'

Rhoes ei arian i lawr wrth ei gwpan goffi wag a chododd o'i gadair. Gadawodd y papur newydd ar y bwrdd.

# 5

Swingiodd drws y ddarlithfa ar agor a llifodd fflyd o fyfyrwyr i lawr y coridor. Brwydrodd Cai yn eu herbyn a dod i stop wrth y fynedfa.

'Ah, Cai. Can you take these to my office? I'll just get us some coffee and I'll be with you in a minute.'

Rhoes Jarvis Smith lwyth o lyfrau ym mreichiau Cai a cherddodd i lawr y coridor i'r un cyfeiriad â'i fyfyrwyr.

Aeth Cai i'r cyfeiriad arall ac i lawr rhes o risiau i goridor y staff. Gwthiodd ddrws ystafell Smith gyda'i droed a'i gael ei hun am yr eilwaith o fewn ychydig ddyddiau ar ei ben ei hun yn swyddfa ei diwtor. Rhoes y llyfrau ar ddesg yng nghanol yr ystafell ac eisteddodd mewn cadair bren â'i chefn at y drws. Crwydrodd ei lygaid ar hyd y silffoedd llyfrau a'r pentyrrau papur a safai hwnt ac yma ar y desgiau ac ar hyd y llawr. Roedd yr un hen ddarluniau a ffotograffau wedi eu fframio yn sefyll fel tystion ar hyd y silffoedd ac ar ben ambell res wastad o lyfrau llychlyd ond, yn ôl yr arfer, roedd darlun newydd yn crogi ar y wal uwchben y cyfrifiadur. Roedd Smith yn hoffi newid y darlun hwnnw bob rhyw dri mis, er mwyn medru mwynhau golygfa newydd yn rheolaidd naill ai o'i waith ei hun neu ryw ddarn a'i plesiodd gan un o'i fyfyrwyr. Ei oriel bersonol ei hun. Roedd un o luniau Cai wedi crogi yno ar un adeg, ond ni allai yn ei fyw gofio pa un. Ffotograff du a gwyn o gapel Cymreig oedd yno bellach, ei waliau carreg a'i do onglog yn dynwared goleddf y dirwedd yn y pellter, a'r cyfan yn wrthbwynt trawiadol i'r awyr ddrycinog uwch ei ben.

Ceisiodd Cai ei wneud ei hun yn gyfforddus, ond yn ofer. Teimlai'n chwithig. Rai oriau ynghynt roedd wrthi'n rhoi rhyw fath o drefn ar ei fywyd newydd. Nawr roedd yn ôl mewn ystafell nad oedd wedi dymuno bod ynddi fyth eto. Roedd wyneb y cyfrifiadur yn ddu ddigyffro. Doedd dim diben iddo fod yno, mewn gwirionedd, ac ystyried pa mor swyddogol derfynol roedd y dyfarniad wedi edrych ar y sgrin y bore blaenorol.

Cerddodd ei diwtor i mewn i'r ystafell a gosod dwy gwpanaid o goffi ar y ddesg. Caeodd y drws ar ei ôl.

'I'm sorry again that I wasn't here the last time you called, Cai. Anyway, I'm glad I have better news for you this time.'

Roedd ar fin eistedd pan ofynnodd Cai, 'Is it one of yours?'

Oedodd Smith. Sylweddolodd fod Cai'n cyfeirio at y ffotograff ar y wal y tu ôl iddo.

'Oh, yes. I took it over the summer, back in June. A great little chapel down in Tredegar. I've been going round some that are about to be knocked down or turned into something or other.'

Daliai Cai i syllu ar y llun.

'Anyhow,' dywedodd Smith wrth eistedd wrth ei ddesg a chynnau sgrin y cyfrifiadur, 'let's get down to business. I got a phone call on Monday, not long after you were here. A bit unusual, but I don't suppose that matters. His name was Esell, and he seemed to know about your work.'

Trodd yn ei gadair a syllu ar Cai. Ysgydwodd Cai ei ben.

'I haven't heard of him,' dywedodd.

'Nor have I.' Trodd Smith yn ôl at y sgrin a pharhau i deipio wrth siarad. 'He works for a private foundation, Oriel, that occasionally funds studies in the art sector. I have to admit I'd never heard of them before, but,' trodd yn ôl at Cai gan bwyso ymlaen ar y ddesg, 'I'm glad I have now. They want to fund your thesis to the tune of £10,000 a year.'

Chwibanodd Cai'n ysgafn.

'Well, yes,' gwenodd Smith, 'just keep in mind this isn't final yet. It'll have to be approved by the university, forms filled and so on. But I'm sure I'll be able to speed things up, given that we're on a tight schedule with the start of term. So what do you think?'

Llyncodd Cai lond ceg o goffi.

'Sounds too good to be true,' atebodd dan wenu'n gwrtais.

'You could say that. Now, I've had some emails

through, pretty official stuff. I'll send them on when I have time.' Sgroliodd Smith i lawr y sgrin. 'One of them – here it is – mentions some provisos. Nothing too complicated. Someone will come to Aber to meet you sometime during the next few months.'

'What for?'

'To hear how the work's going, I suppose. And speaking of that, I think it's safe to say that you can start as soon as possible. I'll be a bit busy over the next few weeks, but we can arrange to meet again, say in a fortnight, to get things in order. It's early days yet but, with that sort of money, you could consider some field work, maybe even an interview. She's still alive, is she? Your artist?'

'Yes.'

'Ok, well it's something to consider. And buy a new laptop.'

Syllodd Cai eto ar y ffotograff ar y wal. Cofiodd yn sydyn pa un o'i luniau yr oedd Smith wedi ei ddewis i'w grogi yn yr un safle am rai misoedd pan oedd Cai yn y drydedd flwyddyn. Braslun o hen ddynes mewn siôl Gymreig a'i llygaid ynghau. Llyncodd weddill ei goffi a chodi ar ei draed.

'Thanks, Dr Smith.'

'I'll be sending you some official emails over the next week, and you'll get some through from the uni as well. Just routine. I'll send Esell an email to let him know you're on board. I'm sure he'll be glad to hear.'

'As am I. Thanks again.'

'Oh, and there's no problem with you doing it in Welsh either. This Esell fellow seemed to be able to speak it.'

Ar ei ffordd allan o'r Ysgol Gelf, ni allai Cai feddwl am ddim ond y llun a dynnodd o'r hen wraig a fu'n crogi un tro yn swyddfa Jarvis Smith. Fe'i hysbrydolwyd i greu'r llun hwnnw gan luniau Aeres Vaughan, yr artist y byddai'n treulio tair blynedd nesaf ei fywyd yn astudio ei gwaith.

# 6

Estynnodd Megan ei braich y tu ôl iddi rhag iddi ddisgyn i'r llawr. Methodd erchwyn y gwely wrth i'w chariad diweddaraf wasgu ei ben-glin rhwng ei choesau, a daeth ei llaw i lawr ar y bwrdd bach a rhoi cnoc swnllyd i'r lamp. Hyrddiodd ei hun ar y cynfasau a thynnodd ei bra.

Yn yr ystafell drws nesaf roedd Ffion yn gorwedd ar ei gwely yn y tywyllwch yn syllu ar y nenfwd. Rai oriau ynghynt roedd wedi digwydd clywed dwy o'r merched eraill a oedd yn byw yn yr un tŷ â hi ar Stryd y Popty yn trafod eu cynlluniau ar gyfer y noson honno. Cychwynnodd sgwrs â'r ddwy yn y gobaith o ddod i wybod mwy ond, yn ôl yr arfer, bu'n rhaid iddi ofyn faint o'r gloch oedd hi ac esgus peidio â sylwi ar ba mor gyndyn oedden nhw i ddweud dim wrthi. Gwisgodd ei chrys rygbi Cymru a mymryn o finlliw ac, am wyth o'r gloch, ymunodd â chynffon y criw rai eiliadau cyn i bawb hwylio drwy'r drws. Yn y White Horse ac wedyn yn Harry's, safodd Ffion ar gyrion y dyrfa, yr olaf i'r bar a'r gyntaf i edrych ar ei ffôn. Siaradodd Gwennan â hi, chwarae teg, a Megan hefyd weithiau ond, fel y digwyddai'n aml, cafodd y sgwrs ei boddi'n raddol gan sŵn y lleill yn sgrechian chwerthin ar ryw jôc na chlywodd Ffion ei dechrau. Rhoesai'r gorau iddi'n gynnar y noson honno, a dychwelyd i'r tŷ gwag gyda blas fodca rhad ar ei thafod.

Clywodd goes y gwely drws nesaf yn taro'n rhythmig yn erbyn y wal. Gallai deimlo'r dirgryniadau yn rhedeg drwy'r pared ac yn ysgwyd ei gwely ei hun yn ysgafn, a chlywai riddfan rheolaidd Megan fel sŵn peiriant awyru ar fin torri. Ceisiodd hoelio ei sylw ar stribedyn bach o olau stryd a redai ar hyd y nenfwd llwyd at bentwr o lyfrau ar ddesg yn y gornel. Cofiodd fod llyfrgell y coleg ar agor bedair awr ar hugain. Syllodd ar y nenfwd am funud arall. Clywodd y sawl a oedd yn cadw cwmni i Megan yn dechrau adleisio ei synau. Gwisgodd amdani'n gyflym a rhoi cwlwm yn ei gwallt. Cododd ei laptop o'r ddesg a sleifiodd drwy'r drws ac i lawr y grisiau oer. Gallai ddal y bws olaf i'r campws pe bai hi'n brysio. Cipiodd botel o ddŵr o'r oergell a rhoi clep i'r drws ffrynt ar ei hôl.

Roedd y bws a gylchai'r dref a'r campws yn rhyfedd o wag. Roedd ei oleuadau llachar yn gwrthweithio effaith y tipyn fodca yn boenus o effeithiol. Syllodd allan ar y dref yn mynd heibio, a dim i'w weld yn y paen du ond adlewyrchiad clir o seti a chanllawiau melyn y bws. Disgynnodd o'r bws yng nghanol y campws a brasgamu i fyny rhes o risiau tua'r prif adeiladau. Edrychai Llyfrgell Hugh Owen fel fersiwn enfawr o'r bws, ei thu mewn i'w weld yn eglur bob modfedd dan stribedi hir o oleuadau cryf. Cyffyrddodd y sganiwr â'i cherdyn ac agorodd y drysau electronig o'i blaen.

Roedd yr adran ar feicrobeioleg a meddygaeth ar y llawr cyntaf. Gyda phenrhyddid annisgwyl, eisteddodd wrth un o'r byrddau ger y ffenestri a oedd bron bob tro'n llawn yn ystod y dydd gan hardded yr olygfa. Doedd dim i'w weld drwy'r ffenest am un ar ddeg y nos, ond teimlai'n braf cael estyn sêt a thynnu llyfr o'r silff heb berygl y byddai neb yn ffieiddio at ei dewis. Doedd afiechydon angheuol a drosglwyddid drwy anifeiliaid ddim yn destun sgwrs dros baned na fodca na dim arall.

Agorodd gaead ei laptop a chynnau'r peiriant. A hithau ond yn ddechrau trydedd wythnos y tymor newydd, doedd yr un o ddarlithwyr Ffion wedi tynnu llawer o sylw at gwestiynau'r traethawd. Roedd un modiwl, serch hynny, wedi mynd â'i bryd – 'Symptomau ac Effeithiau'r Gynddaredd'. Daeth o hyd i ddogfennau'r modiwl ar-lein, a sgroliodd yn araf drwy'r manylion.

Er iddi geisio'i darbwyllo ei hun, roedd yn anodd dod i arfer â defnyddio 'y gynddaredd' am 'rabies'. Roedd gan y gair 'rabies' a'i frawd o ansoddair, 'rabid', ryw islais afiach na allai 'y gynddaredd' ei gyfleu rywsut. Ac eto, magai'r gair ystyr bob tro y'i darllenai, gan ddod i ymgorffori hyd a lled 'rabies' er gwaethaf ei ddieithrwch. Cofiai fod y darlithydd wedi dweud bod enghreifftiau o'r gair yn Gymraeg mor bell yn ôl â'r Oesoedd Canol.

Estynnodd dri llyfr o'r silffoedd a dychwelyd at y ddesg i bori. Dros yr awr nesaf defnyddiodd bob un llyfr yn ei dro i ddal dalennau un o'r llyfrau eraill ar agor wrth iddi deipio rhes o ddyfyniadau.

> It is a virus. The most fatal in the world, a pathogen that kills nearly 100 percent of its hosts in most species, including humans. Fittingly, the rabies virus is shaped like a bullet: a cylindrical shell of glycoproteins and lipids that carries, in its rounded lip, a malevolent payload of helical RNA.

Yn wahanol i bob feirws arall, bron iawn, gallai feirws y gynddaredd osgoi'r llif gwaed, rhag iddo gael ei ddileu'n naturiol gan system imiwnedd y corff. Cynneddf y feirws hwn oedd ymgartrefu yn y system nerfol, gan weithio ei ffordd yn araf, rhyw ddau gentimedr bob dydd, i mewn i'r acsoplasm, sef y rhan o'r corff a anfonai negeseuon yn ôl ac ymlaen o'r ymennydd.

> Once inside the brain, the virus works slowly, diligently, fatally to warp the mind, suppressing the rational and stimulating the animal. Aggression rises to fever pitch; inhibitions melt away; salivation increases. The infected creature now has only days to live, and these he will likely spend on the attack, foaming at the mouth, chasing and lunging and biting in the throes of madness – because the demon that possesses him seeks more hosts.

Darllenodd am rai oriau. Sylwodd ar un neu ddau – staff, efallai – yn cerdded heibio ym mhen draw'r ystafell, ond ni ddaeth neb i dorri ar lif y gwaith.

Am ddau y bore aeth i lawr i'r llawr gwaelod i brynu coffi o'r peiriant a barryn o siocled. Pan ddaeth yn ôl at ei desg roedd golau bach yn fflachio ar waelod sgrin ei laptop.

> Annwyl Ffion
>
> Sut hwyl ti'n gael hefo'r darlithoedd? Tywydd di bod yn arw yma, sgynnodd un o goed y pentra nos Sul. Elan yn edrych mlaen at Galangaea, medda hi, ac yn cofio atat ti.

Teimlo chydig yn well yn ddiweddar, cysgu'n dda iawn, felly dim i boeni amdano fo. Cofia roi galwad pan fedri di.

Dad

Gwenodd Ffion yn flinedig. Darllenai negeseuon ei thad fel arfer pan drôi ei laptop ymlaen yn y bore, ac yntau'n cymryd arno iddo anfon yr e-bost y peth cyntaf ar ôl dihuno. Ond dangosai manylion pob neges ba bryd yn union y'i hanfonwyd, ac roedd hynny bron bob tro rhwng dau a phedwar y bore. Teipiodd ei hateb.

Cysgu'n dda, dwi'n gweld.

Fi hefyd. Darllen am *rabies*.

Gwell na'ch *manuals* ceir chi, debyg.

Restiwch. Paned yn dda at y boen.

ff

Pwysodd Send a chymryd sip o'i choffi. Syllodd ar y sgrin yn fud. Byddai gan ei thad baned yn ei law hefyd. Gallai ei ddychmygu'n eistedd o flaen yr hen gyfrifiadur yn yr ystafell fyw, a dim ond golau'r sgrin yn gloywi ei wyneb yn y tywyllwch, ei ffon fagl yn gorffwys yn erbyn cefn y gadair. Arhosodd Ffion am rai munudau, cyn i'r sgrin ddiffodd a'i dihuno o'i myfyrdod. Llyncodd weddill y coffi ac aeth i chwilio am lyfr arall o'r silffoedd.

# 7

Tynnodd Cai ei got wleb a'i gosod ar fachyn rhydd wrth ddesg y porthor. Cawsai ei ddal rai munudau ynghynt mewn cawod annisgwyl ar ei ffordd i fyny'r bryn i'r Llyfrgell Genedlaethol. A hithau'n ganol Hydref, roedd hapchwarae'r tymor ar waith yn y coed a'r dail, a phob diwrnod yn consurio'i dywydd ei hun yn ôl ei fympwy. Er gwaethaf pob ymdrech i ddarllen yr wybrennydd, nid oedd Cai wedi llwyddo i ddarogan yn gywir gymaint ag unwaith mewn tair wythnos o ddringo rhiw Pen-glais drwy law a hindda. Buasai wedi syrffedu pe na bai am fawredd y golygfeydd godidog o'r bae a welsai'n foreol dan awyr dymhestlog ac ambell lygad o heulwen glaer.

Tynnodd laptop newydd a dau lyfr o'i fag. Stwffiodd hwnnw wedyn i locer a'i gloi. Cafodd wên gan y porthor wrth ddangos ei gerdyn. Gwenodd Cai yntau, a rhyfeddu at y ffaith fod yr un porthor a'i gwelsai bob bore'n ddiwahân yn dal i graffu'n ofalus ar ei gerdyn fel pe na bai wedi ei weld erioed o'r blaen. Rhyw dwlsyn o leidr mapiau oedd ar fai, yn ôl y sôn, am wneud ffŵl o'r llyfrgell rai blynyddoedd yn ôl a gwneud bywyd ryw fymryn yn anos i bawb arall a ddymunai ymweld â'r lle o hynny ymlaen.

Aeth Cai yn ei flaen tuag Ystafell Ddarllen y De, lle gellid archebu pob math o ddeunydd ar wahân i lyfrau cyffredin. Câi fwynhad bob tro wrth gerdded i mewn i'r neuadd fawr dawel, agored dan nenfwd uchel, y pileri gwynion gloyw a'u haddurniadau cain yn adleisio addurniadau cain y gwaith coed yn fframiau'r drysau. Cedwid y lle'n gynnes gan mwyaf gan y rheini a hoffai hel eu hachau, haid ddigon di-sut o hen bobl a dreuliai eu hymweliadau mynych yn sgrolio'n farwaidd o ddi-ben-draw drwy hen gofrestri plwyf o'r bedwaredd ganrif ar bymtheg. Aeth Cai at y brif ddesg a gofyn am eitemau a oedd ar gadw dan ei enw. Camodd drwy lidiart gwydr bychan a lithrodd i'r naill ochr o'i flaen a chau'n ddistaw ar ei ôl.

Eisteddodd wrth fwrdd hir a chynnau ei laptop. Rhoes y ddau lyfr swmpus a gariai gydag e'n feunyddiol i fyny'r bryn i orwedd y tu ôl i'r cyfrifiadur. Ar ôl dwy flynedd o astudio ar gyfer y radd MPhil, roedd eu cynnwys wedi ei ddihysbyddu bron yn llwyr erbyn hyn a'r cyfan ar ei gof, ond fe'u cariai beth bynnag gan na cheid rhwng cloriau unrhyw lyfrau eraill fwy o wybodaeth am Aeres Vaughan. Nid bod hynny'n fawr o ddweud, gan nad Aeres Vaughan oedd prif destun yr un o'r ddwy gyfrol, ond roedd hi'n un o nifer o artistiaid a ystyrid ar adegau gwahanol ac am resymau gwahanol yn rhai blaenllaw. Cyhoeddwyd y llyfr ac arno'r ôl traul mwyaf, *A Garland of Six Portrait Painters*, ar ddechrau'r chwedegau, pan oedd Aeres Vaughan gyda'r enwocaf o'r artistiaid ifanc o Gymru ac yn medru hawlio ei lle, yn ôl un wasg Lundeinig, ymysg goreuon ei chenhedlaeth drwy Brydain. Llyfr Cymraeg oedd y llall a luniwyd ganol y nawdegau, *Y Ddelwedd a'r Ddalen*. Yn ôl y broliant, roedd y gyfrol yn 'adlewyrchu'r ysbryd newydd a deimlir yn y byd celf yng Nghymru heddiw' ac yn ymgais 'i ddwyn i olau dydd waith dyrnaid o artistiaid pwysig y credir iddynt gael eu hesgeuluso'.

Ymhen ychydig daeth aelod o'r staff draw ato a gosod dau ffolder ar y bwrdd o'i flaen. Mewngofnododd ar ei laptop. Cododd un o'r ffolderi tenau a'i agor yn ofalus. Ynddo roedd casgliad bychan o bapurach, y rhan fwyaf yn ddarnau rhydd o nodiadau di-drefn, ond ar waelod y bwndel roedd dau fraslun pensil o ferch lygatddu ar ei heistedd. Doedd y ddau ddarn tenau o bapur yn fawr mwy na maint sgrin y laptop, ac roedd olion ysgafn y lèd ar eu hwynebau mor frau nes rhoi'r argraff y gellid yn hawdd eu chwythu i ffwrdd. Ond roedd dawn yr artist i'w gweld yn eglur yng nghynildeb y cyffyrddiadau ysgafn a oedd yn cyfleu'n ddiymdrech siâp wyneb y ferch a'i llygaid tua'r llawr. Roedd golwg fyfyrgar, dawel arni yn y naill lun, ond roedd mwy o ôl brys ar y llall, ac nid oedd yn hawdd dweud ai gwenu ynteu ar ganol dweud rhywbeth yr oedd hi.

Ar waelod y ddau fraslun roedd dwy lythyren fras, AV. Ond nid oedd a wnelo gweddill cynnwys y ffolder ddim ag Aeres Vaughan. Roedd y cyfeirnod NLW SW34 ar gornel isaf y clawr yn dangos ei fod yn perthyn i gasgliad Sarah Watkins, arlunydd a nofelydd o Benarth a chyfaill agos i Aeres Vaughan pan fu'r ddwy'n astudio celf yng ngholeg Slade yn Llundain. Cyn ei marwolaeth dros ddegawd yn ôl, fe gymynnodd Sarah Watkins ran helaeth o'i phapurau a'i lluniau i ofal y llyfrgell. A hithau'n dal ar dir y byw, nid oedd casgliad unedig o waith Aeres Vaughan wedi cyrraedd y llyfrgell eto, ond nid oedd hynny'n golygu nad oedd dim o'i gwaith dan ofal y sefydliad. Gorchwyl gyntaf Cai ar gyfer ei ddoethuriaeth oedd dod o hyd i'r darnau hynny o waith, yn frasluniau a phaentiadau a llythyron, a oedd yn llechu'n ddistaw mewn amryw gasgliadau ym mherfeddion yr adeilad.

Ei fwriad gwreiddiol oedd gwneud y chwilio i gyd yn electronig. Roedd catalog cyflawn y llyfrgell yn cynnwys pob eitem o bob math a gedwid dan ei tho. Ond buan y daeth yn amlwg iddo na fedrai wneud popeth ar-lein. Teipiodd y geiriau 'aeres vaughan' yn y blwch un bore a daeth i'r golwg dros fil o ganlyniadau. Pob cofnod ac ynddo'r enw 'aeres' a phob un â 'vaughan'. Ceisiodd gyfyngu'r chwiliad, ond buan y sylweddolodd y byddai diffygion yr hen system, ynghyd â natur amrywiol y deunydd, yn gwneud y dasg o hidlo'r canlyniadau yn amhosib. Doedd dim amdani ond mynd at yr hen gofnodion papur gwreiddiol, a gweithio'n systematig drwy'r categorïau fesul un. Printiadau Topograffig a Thirwedd. Paentiadau Topograffig a Thirwedd. Portreadau. Ffotograffau.

Cedwid yr holl gofnodion papur ym mhen pellaf yr ystafell ddarllen fawr mewn cwpwrdd llydan pren ac ynddo ugeiniau o ddroriau bach dwfn. Roedd enwau'r categorïau i'w gweld ar wyneb sgwâr pob drôr, weithiau mewn print swyddogol a thro arall mewn llawysgrifen wedi hen felynu. Gwnaethai Cai drosolwg cyflym o bopeth amlwg y gallai feddwl amdano ar y catalog ar-lein, ac yna lluniodd restr o'r holl deitlau posib y gallai gwaith Aeres Vaughan fod yn llochesu odanynt yn y cwpwrdd pren – enwau hen gydnabod, Merionethshire, Aran ac ati. Cawsai rywfaint o lwyddiant i ddechrau. Daeth o hyd i frasluniau yng nghasgliadau dau o gyd-fyfyrwyr Aeres Vaughan a ddaethai i fyw yng Nghymru, Sarah Watkins yn gyntaf ac yna John Earnest, gŵr a wnaeth enw iddo'i hun yn portreadu enwogion y lluoedd arfog yng Nghymru a swydd Henffordd ac a ymgartrefodd ar ddiwedd ei oes yn Aberhonddu. Bu farw yn 1998. Ei bapurau ef oedd yn yr ail ffolder.

Agorodd Cai y clawr a thynnodd allan bentwr o bapurau swyddogol yn ymwneud ag oriel ym Mrycheiniog. Trodd y dalennau'n frysiog cyn dod o hyd i gyfres o ddalennau rhydd yng nghefn y pecyn. Brasluniau oedd y rhain hefyd, ond tirluniau y tro hwn mewn pen ac inc. Ar un ohonynt yn unig y ceid unrhyw fath o ysgrifen, a hynny ar gefn llun tywyll o fynydd llwm a llyn oddi tano. Roedd yr ysgrifen yn flêr iawn a bu Cai am rai munudau'n datrys y sgribliadau – 'i JE. AF yn antidote i'r wynebau arferol. AV.'

Nid oedd dyddiad ar yr un o'r brasluniau, ond roedd Cai'n amau nad oeddynt yn perthyn i gyfnod cynnar yng ngyrfa Aeres Vaughan. Ychydig iawn o dirluniau a geid ganddi yn ystod ei hamser yng ngholeg Slade, ac ni ddechreuodd droi atynt o ddifrif tan ar ôl iddi ddychwelyd i Gymru ganol y saithdegau, a hynny'n dilyn marwolaeth ei nith ifanc, Catrin Hywel. Yn ôl y gyfrol *Y Ddelwedd a'r Ddalen*, ei pherthynas â'i nith ac ergyd y golled arni a barodd iddi gefnu ar lunio portreadau a rhoi'r gorau i'w gyrfa yn Llundain. Cafodd Cai gadarnhad i'w theori ar frig y dalennau swyddogol yn y ffolder, pob un yn perthyn i'r flwyddyn 1978.

Rhoes Cai yr holl bapurau yn ôl yn y ffolder a dihunodd sgrin ei laptop. Y cam nesaf oedd archwilio casgliad llythyron John Earnest, rhag ofn y ceid yno ohebiaeth rhyngddo ac Aeres Vaughan. Teipiodd 'john earnest correspondence' i mewn i'r blwch chwilio, a daeth 56 o ganlyniadau i'r golwg. Sgroliodd drwy'r ddalen gyntaf, yr ail a'r drydedd, cyn dod o hyd i'r cofnod perthnasol ar y bedwaredd ddalen.

GB 0253 MSJEARN
J Earnest Papers [1949]–1995 / John Earnest and others
3 boxes

# 8

Safai Ffion yn nrws y Selar ar Stryd y Farchnad. Roedd y dafarn wedi newid ei henw dair gwaith ers i Ffion ddechrau yn y coleg. Bar pŵl ydoedd ar y dechrau, ac yna fe'i trawsnewidiwyd yn far coctels ac, yn fwyaf diweddar, yn dafarn gyffredin ac ynddi ddigon o le yn ei phrif ystafell i gynnal gigs. Dôi sŵn band ifanc o'r llwyfan yng nghefn yr adeilad, gitâr trwm yn rhwygo riff aflonydd o gofiadwy drwy'r adeilad.

Wedi i Ffion feddwl am y peth, roedd y lle wedi newid ei enw bron yr un faint o weithiau ag yr oedd hi wedi newid ei chriw ffrindiau. Ymuno'n betrus oedd ei harfer, a rhyw lynu wrth un neu ddwy gyfeillgar cyn araf lithro o'u sylw a thaflu rhaff at haid arall o ferched nad oedd hi ond yn eu lled-adnabod. Roedd y criw diweddaraf rywle wrth y bar neu o flaen y llwyfan neu wedi symud ymlaen i'r Llew, efallai. Doedd Ffion ddim yn siŵr. Safai'r smociwrs ar y pafin y tu ôl iddi'n clebran ac yn chwerthin ar ryw feddwyn ansicr ei gam a oedd wedi straffaglu allan o'r Court Royale ar ochr arall y sgwâr. Roedd Ffion wedi cynnau digonedd o sigaréts dros y blynyddoedd, ac wedi rhoi'r gorau iddi bob tro rhag dihysbyddu ei chyfrif banc. Ciledrychodd yn genfigennus ar y giwed fyglyd. Roedd gan smociwr wastad gwmni parod. Ond doedd fiw iddi wneud, a hithau'n gwybod ers tro fod yr arian a'i cadwai yn y coleg yn brin.

Daeth y gân i ben gyda sŵn cymeradwyo ac ambell sgrech. Roedd Ffion ar fin dychwelyd i'r bar am botelaid arall pan deimlodd ei ffôn yn dirgrynu yn ei phoced. Gwelodd enw ei thad. Gwgodd ar y sgrin fechan. Roedd hi wedi anghofio ei ffonio'r prynhawn hwnnw fel yr addawsai ac, ar ben hynny, roedd hi wedi dechrau meddwi. Nos Wener oedd hi, wedi'r cyfan, ac roedd yfed hyd lewyg weithiau'n haws na gorwedd ar ei phen ei hun mewn tŷ gwag. Rhoddodd ei photel wag ar lawr mewn cornel a chamodd i'r stryd. Sugnodd yr oerfel i'w hysgyfaint a cheisio dyfalu faint o effaith roedd tair potel ac un fodca wedi ei gael ar ei llais. Crynodd y ffôn yn ei llaw.

'Helô.'

'Sut wyt ti, Ffion? Sori i styrbio mor hwyr. Allan wyt ti?'

'Ar ffor' adre. Chithe?'

'Tsiampion. Wedi troi'r gwres 'mlaen heno. Ma hi 'di oeri beth gythrel 'ma.'

'Ddrwg genna i anghofio pnawma. Sgwennu o'n i.'

'Go dda. Rheitiach iti na gwamalu 'fo hen glown fel fi.'

'Sut 'dech chi efo'r tywydd?'

'Da iawn, wst ti. Ma'r tabledi'n gneud 'u gwaith.

41

Fuodd Elan a'i mam yma pnawma. Pawb yn gofyn amdanat ti, ac Elan yn deud 'i bod hi'n setlo yn 'rysgol. Meddwl 'set ti isio gwbod 'i bod hi am neud teisan i'r steddfod, ond am anfon darn atat ti. Os na fyddi di adre cyn hynny?'

Oedodd Ffion. Roedd Elan yn byw yn y pentref ac yn ferch i fam ddiarhebol o gymwynasgar. Oni bai amdanynt, gwyddai Ffion ei bod yn annhebygol y gwelai ei thad yr un enaid byw o'r naill wythnos i'r llall. Roedd Elan yn ystyried Ffion yn un o'i ffrindiau. Ond roedd Elan yn un ar ddeg oed, ac yn ffrind i bawb. Hi hefyd oedd yr unig ferch arall yn y pentref, ac fe eilunaddolai Ffion am mai hi oedd yr unig un a adawsai ar antur gyffrous i goleg ger y lli. Gwridodd Ffion wrth ddychmygu'r ferch fach yn ei gweld hi'n cerdded adref ar ei phen ei hun bob nos i dŷ oer.

''Sa well 'mi aros yma tan 'mod i 'di gorffen y traethawd.'

'Iawn 'ti, wrth gwrs. Hynny sy ora.'

Teimlodd Ffion hen gnoi yn ei stumog. Bu'n agos i gloffni ei thad fynd yn rheswm iddi beidio â mynd i'r coleg yn y lle cyntaf, a throeon wedyn yn rheswm i adael. Ond daeth i sylweddoli hefyd dros amser y gwnâi les i'w thad fyw'n annibynnol, a synhwyrodd, er gwaethaf ei hunigrwydd yn y coleg, fod rhyw ran ystyfnig ohoni a fwynhâi ei rhyddid ymhell o fynyddoedd llwm ei magwraeth.

'Dim ond rw wthnos ne ddwy.'

'Iawn 'ti. Gadwa i mo'nat ti rŵan. Ond ma hi'n gynnar hefyd, dydi, iti fod yn mynd adre?'

'Do'dd hi'm yn noson fawr heno. 'Den ni 'di ca'l bwyd i fynd adre 'fo ni.'

Sylweddolodd Ffion y dylai fod wedi arafu ei cham ryw stryd neu ddwy ynghynt, lle roedd sŵn siarad a chwerthin merched swnllyd ar bafin y tafarndai. Safai'n awr mewn tawelwch euog y tu allan i ddrws ei thŷ.

'Ocê 'ta. Mwynhewch ych hunen.'

'Nos da, Dad.'

# 9

Syrthiodd llyfr trwm i'r llawr gyda chlep ac, fel un, cododd hanner dwsin o achyddwyr eu pennau brith o undonedd eu hymchwil a syllu i gyfeiriad y sŵn. Plygodd y pechadur truan yn chwithig i godi'r llyfr a theimlodd lygaid yr ystafell yn boeth ar ei war. Cadwodd Cai ei ben i lawr dros ei waith. Roedd rhyw fân synau byth a hefyd yn denu sylw'r rheini oedd o'i amgylch a doedd dim yn well ganddynt na busnesa yn namweiniau diddim pobl eraill. Defaid, meddyliodd. Roedden nhw fel defaid ar ffridd bellennig, eu pennau'n codi un ar ôl y llall i wylio rhyw gerddwr mynydd yn mynd heibio gyda'i rycsac a'i fap, eu cegau'n cnoi cil yn ysbeidiol wrth ddilyn ei gamre dros y grib.

Roedd bocs mawr cardbord llwyd ar y bwrdd o'i flaen, ei gaead ben i waered y tu ôl iddo a hanner ei gynnwys yn bentyrrau trefnus wrth ei ymyl. Hwn oedd yr ail o dri llond bocs o lythyron John Earnest ar ffurf copïau ynghyd â llythyron yr oedd wedi eu derbyn gan ei gydnabod dros gyfnod o hanner canrif. Roedd Cai wedi treulio wythnos yn pori'n systematig drwy'r bocs cyntaf. Roedd y casgliad fwy neu lai yn yr un cyflwr yn union ag yr oedd pan ddaethpwyd â phapurau John Earnest i'r Llyfrgell Genedlaethol yn 1999, sef yn unedig ond ar chwâl. Daeth Cai o hyd i ambell rediad o lythyron mewn trefn gronolegol, ond roedd y rhan fwyaf wedi eu llwytho i'r bocsys blith draphlith a'u gadael yno'n sypiau heb eu catalogio. Un fendith iddo oedd bod y rhan fwyaf o'r llythyron wedi eu paru â'r llythyr cyfatebol gan law arall. Amrywiai'r rheini o berthnasau John Earnest i gadeiryddion rhai o fân gymdeithasau Brycheiniog i wleidyddion ac artistiaid mawr a mân.

Gan nad oedd dal ym mhle ymhlith y fflyd llythyron, os o gwbl, y ceid llythyr gan Aeres Vaughan, roedd yn rhaid i Cai daro llygad ar bob llythyr yn ei dro. Pan welai enw cyfarwydd, roedd yn demtasiwn parhau i ddarllen, yn arbennig pan welai enw artist arall, rhag ofn y codai enw Aeres

Vaughan yn y drafodaeth. Ond rhyw obeithio diddim oedd peth felly, a buan y trodd at godi ag un llaw a rhoi i lawr â'r llall er mwyn arbed amser. Serch hynny, ceisiodd sefydlu rhyw fath o drefn gronolegol, pe na bai ond er lles y truan nesaf a ddôi at yr archif yn y gobaith o'i didoli.

Roedd bellach hanner ffordd drwy'r ail focs ac nid oedd enw Aeres Vaughan wedi dod i'r golwg gymaint ag unwaith. Gafaelodd â'i law chwith yn y pâr nesaf o lythyron a rhedodd ei lygaid dros y prif fanylion ar frig y ddalen gyntaf. Rhyw athro ysgol o Henffordd. Gosododd y dalennau i lawr â'i law dde ar bentwr wrth ymyl. Roedd ar fin gafael mewn pâr arall pan oedodd. Roedd wedi bod wrthi'n troi un pentwr llythyron yn bentwr arall ers dwyawr. Pwysodd yn ôl yn ei gadair ac ystwythodd ei fysedd a'i arddyrnau.

Egwyl fer. Agorodd ei laptop. Pan âi'r undonedd yn ormod gallai droi'n awr ac yn y man at orchwyl arall lai heriol. Roedd nifer o baentiadau Aeres Vaughan wedi dod o hyd i gartref yn y Llyfrgell Genedlaethol dros y blynyddoedd, bron y cyfan drwy law casglwyr neu gymynroddwyr preifat. Tasg hawdd oedd dod o hyd i rai o'r lluniau unigol ar y catalog ar-lein, yn syml am eu bod ymhlith ei gweithiau enwocaf. Teipiodd 'aeres vaughan red dress' i mewn i'r blwch chwilio, a daeth y cofnod perthnasol i'r golwg yn agos at frig y rhestr.

[Girl in Red Dress] (Oil): Aeres Vaughan
Oil on canvas, 150 x 73 cm
1963
Watkin Jones Collection 32B

Pan enwid Aeres Vaughan, un o'r delweddau cyntaf a ddôi i feddwl y sawl a wyddai'r peth lleiaf amdani oedd llun y ferch yn y ffrog goch. Roedd y llun yn destun tri pharagraff canmoliaethus yn *A Garland of Six Portrait Painters*.

> In short, Vaughan's vivid painting is subtly evocative of both Sutherland and John, lending the unnamed girl an evasive otherness that is nonetheless balanced by her obvious charm. Her eyes, coyishly directed towards us, lead us into her world, yet her red dress at the same time resolutely keeps from our view whatever she is up to, if anything.

Teipiodd Cai fanylion y cofnod mewn dogfen newydd ar ei laptop, ynghyd â phob darn perthnasol o'r gyfrol. Roedd eisoes wedi gwneud yr un peth ar gyfer dau baentiad arall lled adnabyddus a oedd yn rhan o'r un casgliad.

Roedd linc ar gofnod y catalog at ddalen ar wefan y llyfrgell lle gellid gweld y llun. Er mor gyfarwydd yr oedd Câi ag wyneb enigmatig y ferch, cliciodd ar y ddolen ac, mewn eiliad, roedd ei llygaid eto'n syllu arno o'r sgrin. Y llygaid hynny a hudodd gynifer o feirniaid celf o'r tu hwnt i'r ffin un tro. Roedd Cai wedi dangos yn ei draethawd MPhil sut yr oedd llygaid y beirniaid hynny'n gweld yng ngolwg y ferch Gymreig lawer o'r hyn yr oeddynt am ei weld yn llygaid merch Gymreig. Yr arall, merch o wlad ddieithr a guddiai oddi wrthynt ryw gyfrinach anghyrraedd na fedrent ei deall hyd yn oed pe bai hi'n medru ei datgelu. Gwelsai Cai rywbeth arall yn y llygaid erioed. Golwg ochelgar oedd arni i'w lygaid ef. Roedd y ferch yn y ffrog goch fel pe bai'n ei rybuddio i gadw draw.

Caeodd y porwr. Rai wythnosau yn ôl roedd wedi llunio rhestr fer o luniau mwyaf adnabyddus Aeres Vaughan yr oedd lle i gredu eu bod dan ofal y llyfrgell. Daeth o hyd i'r nesaf ar y system heb fawr o drafferth.

> [View of Mawddach Strait] (Oil): Aeres Vaughan
> Oil on canvas, 433 x 198 cm
> 1970–90
> Llanelltyd Estate 4D

Roedd wrthi'n cofnodi'r manylion pan fflachiodd neges ar waelod y sgrin.

> Cai
> Just received a message from Esell. He'll be in Aber next Thursday, would like to meet and discuss. Let me know your whereabouts etc.
> JS

Roedd Cai wedi anghofio'n llwyr i Smith ddweud ar ddechrau'r tymor y byddai aelod o'r sefydliad a oedd yn ariannu ei ymchwil yn debygol o fod eisiau cyfarfod. Oedodd cyn ateb.

Syllodd ar y sgrin am eiliad, yna gwnaeth ffenest yr e-bost yn llai ac aeth yn ôl at y we. Teipiodd 'esell oriel' i mewn i'r porwr. Ddaeth dim i'r golwg ond rhestr o wefannau Saesneg yn gwerthu nwyddau ar-lein. Rhoes gynnig ar ambell gyfuniad arall o eiriau, ond ddaeth dim o werth i'r amlwg. Anfonodd ateb at Smith ac aeth yn ôl at ei waith.

# 10

Trodd Ffion y ddalen a dechrau teipio'r paragraff nesaf.

> Where there are enough proteins, the viral polymerase will begin to synthesize new negative strands of RNA from the template of the positive strand RNA. These negative strands will then form complexes with the N, P, L and M proteins and then travel to the inner membrane of the cell, where a G protein has embedded itself in the membrane. The G protein then coils around the N-P-L-M complex of proteins taking some of the host cell membrane with it, which will form the

new outer envelope of the virus particle. The virus then buds from the cell.

Ni waeth faint o lyfrau bioleg a ddarllenai, ni fedrai Ffion lai na synnu at gywreinrwydd y mynegiant a ddefnyddid bron bob tro, hyd yn oed yn y llawlyfrau mwyaf sych, i ddisgrifio pob math o brosesau gwyddonol. Roedd rhyw feirws yn egino bob gafael, rhyw gell yn ei letya a rhyw brotein a gynhyrchodd yn ymosod ar yr ymennydd fel pe bai'n filwr arfog.

Roedd wrthi'n ailysgrifennu rhannau olaf ei thraethawd ar symptomau ac effeithiau'r gynddaredd, a'i phen i lawr dros y geiriadur lawn cymaint â sgrin y cyfrifiadur. Aeth i ormod o hwyl, efallai, wrth efelychu ieithwedd ddyfeisgar yr arbenigwyr mewn ambell fan, ond roedd hi'n barod i fentro na fyddai hynny'n cyfrif yn ei herbyn yng ngolwg y darlithydd. Yn ei gyflwr newrodropig, roedd y feirws yn gorymdeithio fel mintai ar hyd traffyrdd niwral y system nerfol ganolog, lle byddai ei ymladdwyr yn lluosogi'n ddiarwybod i'r system imiwnedd, fel ysbiwyr cudd yn sleifio drwy ddrysau cloëdig y corff.

Yng nghanol y manylion biolegol hyn y teimlai Ffion yn fwyaf cartrefol. Roedd rhyw drefn resymegol yn perthyn i ddatblygiad anochel y feirws ar ôl iddo ymsefydlu yn y corff. Dilynai'r naill broses y llall, y gwahanol broteinau'n mynd a dod yn ôl y galw wrth araf asio eu hunain wrth yr ysglyfaeth, bron fel pe bai'r feirws ei hun yn ymwybodol o'r hyn yr oedd yn ei wneud. O dipyn i beth, roedd Ffion yn ei chael hi'n fwyfwy anodd gweld perthynas rhwng y proses mewnol a'r effeithiau allanol. Gwelsai ddegau o luniau du a gwyn o gleifion wedi eu heintio, rhai wrthi'n gwella ond y rhan fwyaf mewn cyflwr angheuol, eu cyrff yn gwingo mewn poen. Gwelsai luniau o anifeiliaid hefyd yn yr un cyflwr, cŵn ffyrnig â'u llygaid hanner ynghau. Roedd effeithiau emosiynol y feirws ar bobl yn bellgyrhaeddol, o'r unigolyn i'r teulu i ymwybyddiaeth fyd-eang o'r arswyd diddeall a'i dilynai. Ond roedd y proses mewnol yn gwbl ddealladwy, yn systematig o amhersonol. Ar raddfa gyfewin fach meicrobioleg, y tu hwnt i'r hyn y gallai'r llygad ei weld, nid oedd angen ofni dim.

Gweithiodd am awr. Taflodd lygad dros y darnau newydd yr oedd wedi eu hychwanegu at ddiwedd y traethawd, a chaeodd gaead ei laptop. Roedd ganddi ddarlith – 'Sgileffeithiau Afiechydon Niwroddirywiol' – mewn llai na hanner awr, a byddai'n rhaid iddi frysio.

# 11

Wrth ymyl chwe phentwr trwchus o lythyron llwyd, safai un pentwr bychan arall ychydig ar wahân. Rai dyddiau yn ôl roedd Cai wedi dod o hyd i gyfres o ryw ddwsin o lythyron yr oedd John Earnest ac Aeres Vaughan wedi eu hysgrifennu at ei gilydd rhwng 1976 ac 1979. Ar ôl treulio dros wythnos a hanner cyn hynny'n sganio drwy gannoedd o lythyron, bu'n syllu am rai eiliadau ar yr enw cyfarwydd ar frig y llythyr cyntaf cyn sylweddoli ei fod, o'r diwedd, wedi dod o hyd i'w wobr.

Annwyl Aeres

Bu'n syllu hefyd am dipyn ar y Gymraeg. Ni fedrai gofio iddo weld cymaint ag un llythyr Cymraeg arall yn y casgliad, ac nid oedd wedi croesi ei feddwl erioed y gallai John Earnest fod wedi medru'r iaith. Nid bod llawer o Gymraeg yng nghorff y llythyr. Brithid y testun gan rai geiriau Cymraeg fel mân gyraints mewn torth o fara brith, a dyfalai Cai fod gafael John Earnest ar yr iaith wedi llacio'n gynnar.

Diolch am eich letter last week, a very welcome breath of fresh Welsh air to light up a pretty ghastly November. Wasn't Tachwedd always so? The big lights of Llundain can mask its arrival to a point (even without you there), but there's no escaping the gloom in the backroads of Herefordshire and the 'ffin'.

Esboniai John Earnest ei fod wrthi'n cymudo rhwng y ddinas a'r wlad ar waith comisiwn.

The colonel is most congenial. A frighteningly honest fellow, rather blunt at times, but always welcoming. Took a while to sit still, but once we got going I managed to produce some decent sketches. I attach one which served as the basis for the final painting.

Daeth y llythyr i ben gyda chyfarchiad digon hoffus.

With love and edmygedd

Nid oedd y braslun ynghlwm â'r llythyr, wrth reswm, ac nid oedd llofnod John Earnest ar y papur chwaith, gan mai copi'n unig ydoedd o'r llythyr gwreiddiol a anfonwyd at Aeres Vaughan.

O dan y llythyr hwnnw daethai Cai o hyd i'r llythyr gan Aeres Vaughan y cyfeiriodd John Earnest ato ar y dechrau yn ei ddwyieithrwydd rhyfedd. Er mawr syndod i Cai, roedd y cyfan yn Gymraeg.

F'annwyl John
Dyma air bach o'r gogledd cyn i'r dyddiau fyrhau, yn y gobaith eich bod yn cadw'n iach. Sut dywydd yn y de? Bu'n heulog yma'n ddiweddar yn ôl y papur, ond ni welais i ond cymylau glaw …

Âi'r llythyr yn ei flaen ar hyd trywydd cyffredinol tebyg. Tywydd oer, annwyd, trafferthion dod o hyd i ddeunydd arlunio da, holi hanes hwn a hwn. Yn rhyfedd ddigon, ar waelod y ddalen daeth y llythyr i ben gyda chyfarchiad yn Saesneg.

with love and best wishes
Aeres

Roedd Cai wedi copïo'r cyfan ar ei laptop. Ymlaen wedyn at y pâr nesaf o lythyron, a'r cyfan wedi ei ysgrifennu yn yr un cywair cyfeillgar a chyffredinol. Ceid ambell gyfeiriad yma ac acw at artistiaid a fu'n cydastudio â'r ddau yng ngholeg Slade, ond John Earnest yn amlach na pheidio a fyddai'n adrodd eu hanes. Ar ôl copïo tri phâr o lythyron yn ymestyn dros gyfnod o ddwy flynedd, cawsai Cai yr argraff fod Aeres Vaughan yn ysgrifennu'n gyffredinol o fwriad. Doedd dim i gefnogi'r haeriad, mewn gwirionedd, ac eithrio'r ffaith nad oedd Cai fawr elwach o ran adnabod Aeres Vaughan pan ddôi at ddiwedd pob llythyr. Ceid digonedd o wybodaeth ddiddorol gan John Earnest – ymweliadau â phwysigion swydd Henffordd, ciniawau yn Llundain, trafferthion ariannol – ond digon diddigwydd, mewn cymhariaeth, oedd cynnwys llythyron Aeres Vaughan. Gwnâi John Earnest bwynt o'i gwahodd weithiau i agoriad rhyw arddangosfa newydd neu ginio swyddogol, ond ni cheid unrhyw awgrym yn y llythyron diweddarach ei bod wedi derbyn yr un o'i gynigion parod.

Roedd Cai wrthi bellach yn copïo'r pedwerydd pâr o lythyron. Pan ddaeth at lythyr Aeres Vaughan, sylwodd wrth ei bwysau ei fod yn wahanol i'r lleill. Ar ddiwedd y llythyr roedd braslun bychan wedi ei atodi gyda chlip papur. Llun pen ac inc ydoedd o bentref digon cyffredin, gyda thalcen tŷ gwyn ar yr ochr chwith a rhes o dai cerrig ar ochr arall y lôn. Codai mynydd moel i'r awyr yn y pellter, ac roedd y bryniau oddi tano'n dywyll a choediog. Ni cheid teitl ar y llun nac ychwaith unrhyw wybodaeth amdano yng nghorff y llythyr ac eithrio ei fod yn 'sail i baentiad rwyf erbyn hyn ar hanner ei gwblhau'.

Sylweddolodd fod cyfrwng ac arddull y llun bron yn unffurf â'r llun o fynydd a llyn a welsai dros wythnos yn ôl yn y ffolder o bapurach John Earnest. Rhaid bod y llun hwnnw'n perthyn i'r un cyfnod â'r llythyr hwn, sef canol y saithdegau. Roedd yn amlwg fod Aeres Vaughan yn canolbwyntio bron yn llwyr ar ddarlunio'r wlad o'i hamgylch erbyn hynny. Gwnaeth nodyn o'r cyswllt tebygol.

Roedd Cai bron â chopïo'r llythyr cyfan pan sylweddolodd faint o'r gloch oedd hi. Roedd wedi cytuno i gwrdd ag Esell am ddau. Caeodd glawr ei laptop a mynd i lawr i gaffi'r llyfrgell.

# 12

Cerddodd Ffion i mewn i'r ddarlithfa ddwy funud yn hwyr. Cododd y darlithydd ei lygaid o'r sgrin ond aeth ymlaen â'i draethu'n ddi-fwlch. Eisteddodd Ffion yng nghefn yr ystafell.

'... sy'n golygu bod yr abnormaleddau yn y protein tàw yn dechrau'r proses rhaeadru yn yr afiechyd. Dyma'r hypothesis tàw. Fel y gwelwch chi ar y sgrin, yn y model damcaniaethol hwn, mae'r tàw sydd wedi ei orffosfforyleiddio yn paru gydag edafedd tàw eraill. Yn y pen draw ...' pwyntiodd y darlithydd at ddelwedd ar y sgrin fawr, 'maen nhw'n ffurfio clymau niwroffibrilaidd y tu mewn i'r corffgelloedd nerfol.' Oedodd i roi cyfle i'r myfyrwyr ysgrifennu.

'Fel sy'n amlwg ar y sleid nesaf yma, pan mae'r proses yma'n digwydd, mae'r microdiwbynnau'n dadfeilio, gan ddinistrio sytosgerbwd y gell sydd, yn ei dro, yn chwalu system gludiant y niwron. Dyma, yn y pen draw, sy'n arwain at ddiffyg cyfathrebu biocemegol rhwng niwronau, gan achosi i'r celloedd farw.'

# 13

'Mr Wynne.'

'Good to meet you, Mr Esell.'

'Gymerwch chi baned?'

Edrychodd Cai arno'n syn. Roedd wedi rhoi un cip ar Esell a chymryd yn ganiataol nad oedd yn medru Cymraeg. Gwelsai lawer o ddynion tebyg iddo yng nghaffi'r Llyfrgell Genedlaethol, hen ddynion pwysig yr olwg mewn siwtiau a eisteddai ar bwyllgorau neu fyrddau rheoli'r llyfrgell a sefydliadau pwysig eraill. Ond wedi edrych eto, nid oedd siwt Esell yn arbennig o newydd wedi'r cyfan. Roedd yr olwg lem ar ei wyneb yn rhoi iddo ryw ymdeimlad o bwysigrwydd, ond roedd ei lygaid disglair a'r farf denau frith o dan ei drwyn a'i geg yn adrodd stori wahanol. Gofalodd Cai beidio â chymryd dim arall amdano'n ganiataol.

'Coffi, os gwelwch yn dda.'

Roedd amser cinio newydd ddod i ben ac ambell aelod o'r staff wrthi'n clirio'r byrddau gweigion. Talodd Esell ac aeth y ddau i eistedd.

'Gawsoch chi fy llythyr diolch i?' gofynnodd Cai yn gwrtais.

'Do, do diolch,' atebodd Esell mewn llais dwfn. Synhwyrodd Cai arogl mwg wrth iddo blygu ei got dros gefn y sedd. 'Ac mae'r taliad cyntaf wedi cyrraedd eich cyfrif, rwy'n cymryd?'

'Ydi,' atebodd Cai yn werthfawrogol. Wedi cyrraedd ac wedi gadael, meddyliodd, i dalu'r rhent ac i brynu laptop newydd.

'A sut mae'r gwaith yn dod yn ei flaen?'

Pwysodd Esell yn ôl yn ei gadair a syllodd yn astud ar Cai. Dechreuodd Cai gael y teimlad annifyr ei fod mewn cyfweliad.

'Mae'n dod ymlaen yn dda iawn,' dywedodd gydag ychydig gormod o frwdfrydedd. 'Dwi wrthi'n gwneud rhestr o bopeth sy yn y lle 'ma gan Aeres Vaughan. Mae mwy nag o'n i wedi'i ddisgwyl.'

'Oes, mae'n siŵr,' atebodd Esell yn oeraidd. 'Sut fath o bethau?'

'Lluniau a brasluniau – rhai digon enwog, wrth gwrs – ac ambell lythyr.'

Sylwodd fod Esell yn nodio ei ben.

'Unrhyw beth diddorol?'

'Wel, mae pob dim yn ddiddorol, wrth gwrs,' atebodd Cai'n chwithig. Doedd dim ganddo i'w ddweud, mewn gwirionedd, ond doedd fiw iddo roi'r argraff ei fod yn gwneud dim ond troi ei fodiau'n segur.

'Wrth gwrs. Beth am ddeunydd newydd?'

Oedodd Cai am eiliad. Roedd yn gwestiwn syml, ond nid felly'r ateb. Synhwyrodd fod Esell, nad oedd wedi symud ei lygaid disglair oddi arno'r mymryn lleiaf ers y dechrau, yn chwilio am ateb gonest, ni waeth beth ydoedd.

'A dweud y gwir,' dywedodd Cai, 'does dim newydd wedi dod i'r amlwg eto. Ond nid dyna'r pwynt, am wn i.'

'Sut hynny?'

'Mae unrhyw beth newydd yn taflu tamed bach o oleuni ar waith Aeres Vaughan.'

'Ac mae hynny,' cododd Esell ei gwpan goffi at ei geg yn araf, 'yn werth ei wneud?'

'Yn sicr.' Oedodd Cai, ond roedd yn amlwg fod Esell am iddo ddweud mwy. 'Ond dwi wedi edmygu'i gwaith hi ers blynyddoedd. Fysen i ddim wedi aros yn Aber i wneud gradd arall, dwi ddim yn credu, 'sen i ddim wedi gallu astudio rhywfaint o'i gwaith hi.'

'Y lluniau wnaeth eich denu?'

'Ie. Y portreade'n bennaf. Dyna o'n i'n ei wneud hefyd, paentio portreade, tan imi raddio.'

'A beth ydych chi'n gobeithio ei gael allan o hyn?'

Roedd Cai ar fin dweud gradd PhD, ond synhwyrodd fod Esell yn chwilio am ateb amgenach.

'Dod â mwy o waith Aeres Vaughan i'r golwg,' atebodd yn ofalus gyda difrifoldeb yn ei lais. Dechreuodd feddwl na fyddai'r ail daliad o reidrwydd yn cyrraedd ei gyfrif banc pe na bai'n medru argyhoeddi'r gŵr pigog hwn dros yr eiliadau nesaf o'i ymrwymiad at y gwaith. 'Mae Aeres Vaughan wedi cael ei hesgeuluso ers degawdau. Os gallaf i wneud cyfraniad at y gwaith o'i gwerthfawrogi hi o'r newydd,' dywedodd yn bendant, 'bydd y byd celf yng Nghymru ar ei ennill.'

Rhy amddiffynnol, meddyliodd, wrth deimlo ei galon yn suddo. Roedd yn dechrau swnio fel y cais aflwyddiannus i'r AHRC. Ond roedd gwên denau yn lledu ar draws wyneb Esell.

'Da clywed,' dywedodd wrth roi ei gwpan yn ôl ar y bwrdd. Pwysodd yn ôl a chododd un goes yn araf dros y llall. 'Dyna ddigon o gwestiynau gen i. Oes gennych chi rywbeth hoffech chi ei ofyn?'

Roedd hwn yn un rhes o gwestiynau annisgwyl, meddyliodd Cai. Cymerodd lwnc o goffi ac eiliad i feddwl.

'Mae gen i un,' atebodd yn ddi-lol. 'Beth yw'r sefydliad sy'n ariannu'r gwaith? I bwy'r y'ch chi'n gweithio?'

'Wrth gwrs.' Roedd llais Esell wedi meddalu. 'Rydych chi'n gwybod, mae'n siŵr, mai Oriel yw enw'r sefydliad. Cafodd ei roi ar waith yn annibynnol rai blynyddoedd yn ôl er mwyn ariannu gwaith ymchwil ym maes celf, a chelf Cymru'n benodol.'

'Arian preifat, dwi'n cymryd – pobl yn y byd celf?'

'Ie. Wel, dim ond un noddwr sydd – neu un noddwraig, ddylwn i ddweud. Aeres Vaughan.'

Edrychodd Cai arno'n syn.

'Aeres Vaughan?' gofynnodd yn reddfol.

'Ie,' dywedodd Esell wrth bwyso ymlaen yn ei

sedd, 'Aeres Vaughan ei hun. Mae wedi gwerthu cryn dipyn o luniau dros y blynyddoedd, ac yn dal i wneud o dro i dro. Mae cronfa ddigon sylweddol ganddi. Mae hi hefyd yn cadw llygad ar yr hyn sy'n digwydd yn y colegau. Neu rwyf i'n gwneud, o leiaf, ar ei rhan.'

Oedodd Esell am eiliad i edrych ar ei oriawr. Ceisiodd Cai feddwl am rywbeth i'w ddweud, ond yn ofer.

'O ddarllen eich traethawd ymchwil,' aeth Esell yn ei flaen, ei lais wedi oeri eto, 'mae'n bur amlwg eich bod chi'n ymchwilydd abl iawn. Ac ar ôl eich cyfarfod, rwy'n credu ein bod ni wedi gwneud dewis doeth yn eich ariannu.' Dechreuodd godi o'i sedd. 'Mae'r taliad nesaf wedi'i drefnu'n barod i gyrraedd eich cyfrif ddechrau'r mis nesaf.' Gwisgodd ei got. 'Ar un amod.'

Llyncodd Cai weddill ei goffi a chodi ar ei draed.

'Mae Miss Vaughan wedi gofyn i mi eich gwahodd i'w gweld ym Mhlas Helygog. Y penwythnos ar ôl nesaf. Rwy'n cymryd fod gennych chi gar?'

'Oes,' atebodd Cai yn ddifeddwl, cyn amau ei eiriau ei hun am nad oedd wedi bod yn agos at ei gar ers wythnosau.

'Bydd ystafell ichi yn y plas. Cewch aros dwy, tair noson, fel y gwelwch chi orau.'

'Plas Helygog?'

'Ie.' Cododd llygaid Esell tuag at yr ystafell

ddarllen uwch ei ben. 'Dim angen chwilio am friwsion o hyn ymlaen. Bydd casgliad personol Miss Vaughan ar gael ichi tra byddwch yno.' Ysgydwodd law Cai. 'Mae'n ddrwg gen i na fedra i aros yn hwy. Y penwythnos ar ôl nesaf, felly. Dewch ddydd Gwener. A gwnewch y gorau o'r amser.'

# 14

'Beth, felly, yw'r prif wahaniaethau rhwng y ddau lun yma?'

Pwyntiodd y darlithydd at y sgrin, lle gwelid dau drawstoriad o'r ymennydd, y naill yn gyflawn a'r llall wedi crebachu. Syrthiodd tawelwch ar y ddarlithfa. Teimlai Ffion fel pe bai hi'n ôl yn yr ysgol.

'Unrhyw un?' gofynnodd y darlithydd eto. 'Beth amdanat ti, Ffion? Am iti gyrraedd fymryn yn hwyr.'

Gwelodd Ffion dros ben sgrin ei laptop ambell ben yn codi a pharau o lygaid yn troi tuag ati. Stopiodd deipio a chliriodd ei gwddf.

'Mae cortecs yr ymennydd yn llai.'

'Rhaid iti siarad yn uwch, mae gen i ofn.'

'Mae'r cortecs yn llai,' dywedodd yn uwch, 'am fod y niwrons a'r synapsau wedi mynd.'

'Diolch, Ffion. Ti'n iawn, mae'r niwronau a'r synapsau wedi diflannu, felly mae'r cortecs a rhai rhannau isgortigol, fel yr hipocampws fan hyn, wedi'u difetha'n sylweddol. Mae dirywiad wedi digwydd hefyd yn y llabed arleisiol ac yn y llabed barwydol, yn ogystal â rhannau o'r cortecs blaen. Fel mae'r sleid olaf yn dangos, mae dirywiad tebyg yn digwydd yng nghnewyll coesyn yr ymennydd. Mae'r rhannau yma i gyd wedi gwywo.'

# 15

Aeth Cai yn ôl at y bwrdd yn Ystafell Ddarllen y De fel pe bai mewn breuddwyd. Cofiai fod Jarvis Smith wedi rhyw awgrymu y gallai achub ar y cyfle i ymweld ag Aeres Vaughan, er gwaethaf ei hoedran, ond doedd Cai ddim wedi ystyried o ddifrif y buasai'n dod i gyswllt â hi tan ddiwedd ei drydedd flwyddyn, os o gwbl. Rhywun a greodd y lluniau yr oedd Cai yn eu hedmygu oedd hi, enw ar bapur. Hyd yn oed pan ddôi o hyd i eiriau roedd Aeres Vaughan ei hun wedi eu hysgrifennu, nid oedd fawr nes at roi wyneb byw i'r enw gan mor ofalus a gwarchodol yr oedd hi, yn ôl pob golwg, o bob dim a ysgrifennai. Doedd dim syndod, ar un olwg, fod cyn lleied o sôn amdani yn y llyfrau celf. Nawr fe gâi gyfle i'w holi wyneb yn wyneb, a doedd ganddo ddim syniad ble i ddechrau.

Edrychodd ar y pentwr llythyron ar y bwrdd o'i flaen. Bu bron iddo chwerthin yn uchel. Ryw hanner awr yn ôl roedd wrthi'n trysori pob gair a ddarllenai yng ngohebiaeth John Earnest ac Aeres Vaughan. Bellach fe welai'r llythyron gyda phâr o lygaid newydd. Swp o gofnodion digon diddim na fyddai'n dda i ddim iddo ond i besgi rhyw droednodyn diarffordd.

Agorodd ei laptop. Gwelodd y llythyr diweddaraf yr oedd ar ganol ei gopïo yn rhythu arno o'r sgrin. Roedd yn gas gan Cai adael gwaith ar ei hanner, ond i beth, mewn difrif, y trafferthai bellach? Ochneidiodd yn dawel. Aeth ati'n frysiog i orffen y dasg.

Rhoes y llythyr gyda'i gymar ar ben y pentwr bychan wrth y bocs mawr llwyd. Roedd trydydd bocs, fe wyddai, yn aros amdano y tu ôl i'r brif ddesg, ac ynddo dros gant o lythyron eraill, a dim sicrwydd fod yr un wedi'i ysgrifennu gan Aeres Vaughan. Câi'r gwaith hwnnw aros, penderfynodd, nes y dôi cyfle eto maes o law.

Gafaelodd yn yr ychydig lythyron a oedd ar ôl yn llawysgrifen Aeres Vaughan a'u rhoi gyda'r lleill yr oedd eisoes wedi eu copïo, a'u gosod yn daclus gyda'r gweddill yn y bocs. Trodd yn ôl at sgrin y laptop. Crwydrodd ei lygaid yn ôl eto at y bocs llwyd. Roedd yr ymchwilydd cydwybodol ynddo'n gwingo. Wedi tair blynedd a mwy o bori'n ddeddfol drwy ffynonellau gyda chrib fân, roedd ystyried anwybyddu dogfennau yr oedd, wedi'r cyfan, wedi treulio cymaint o amser yn dod o hyd iddynt, ni waeth pa mor ddibwys oeddynt, yn teimlo'n rhyfedd o groes i'r graen.

Gwgodd ac ailgodi'r un llythyron eto allan o'r bocs. Trodd drwy'r dalennau'n ddiamynedd. Roedd ar fin eu rhoi yn ôl pan synhwyrodd fod rhywbeth bach o'i le. Cyfrodd dri llythyr. Cyfrodd eto, a chael bod un pâr o lythyron yn ei ddwylo ynghyd ag un llythyr arall digymar. Cododd o'r bocs weddill y llythyron nad oedd wedi eu darllen yn fanwl eto, ac aeth drwyddynt yn frysiog. Doedd yr un ohonynt wedi ei gyfeirio at Aeres Vaughan nac wedi ei ysgrifennu ganddi. Edrychodd eto drwy'r hen bentwr gohebiaeth, a chyfrif nifer hafal o lythyron.

Aeth yn ôl at y llythyr digymar. Un yn llaw John Earnest oedd hwn ond, yn wahanol i'r lleill, llythyr un-ddalen ydoedd.

Annwyl Aeres

Fel y gwyddoch, opening letters addressed to me in your unmistakable fine hand has to date brought me nothing but joy. It was therefore with some unease that I read your latest post. My reply, of course, will not betray your request. I have followed your instructions in full.

My thoughts on the matter. I can only suggest that

you go to the proper authorities. They alone can help, if there is help to be had. Even if that means reopening old wounds. I shall not say more, for fear of going against your wishes.

In which case I hope you will come to Cardiff on the 18th – a meal & drinks with Davies and Wooding. There will be lots to say, and it will doubtless be good for you to have a change of scenery.

Please consider, and write soon.

With love and with a calon drom

Darllenodd Cai y llythyr eto'n fanwl. Ailddarllenodd eto'r ail a'r trydydd paragraff. O'r hyn a gofiai, doedd dim yn y llythyron eraill a daflai oleuni ar y geiriau newydd hyn. Roedd y cywair yn wahanol, y brawddegu'n gryno a'r holl ddarn – er mor rhyfedd yr ymddangosai'r peth – wedi ei wlitho â rhywbeth tebyg i bryder. Neu ofn. Deffrôdd sgrin ei gyfrifiadur a sganiodd drwy'r llythyron yr oedd wedi eu copïo rhag ofn ei fod wedi methu rhywbeth. Ni ddaeth dim amlwg i'r golwg.

Edrychodd eto ar frig y llythyr. Nododd y dyddiad – Medi 1979 – y diweddaraf o'r holl lythyron a welsai Cai hyd yn hyn. Copïodd y llythyr cyfan ar ei laptop, ynghyd â'r pâr o lythyron a oedd yn weddill. Ni ddaeth o hyd i ddim dadlennol yn y rheini, er eu bod wedi eu dyddio i fisoedd Ionawr a Chwefror yn yr un flwyddyn, 1979. Chwiliodd eto'n ofer drwy'r pentyrrau llythyron am gymar i'r llythyr un-ddalen. Daeth yn amlwg iddo'n raddol fod y llythyr coll yn llaw Aeres Vaughan yn ôl pob tebyg yn cynnwys rhyw gyfarwyddiadau digon manwl, efallai ynghylch dinistrio'r llythyr unwaith yr oedd John Earnest wedi ei ddarllen.

Cododd ei ben a syllodd draw tuag at y brif ddesg. Byddai'n rhaid plymio i'r trydydd bocs bellach. Er mor annhebygol yr oedd hi fod y llythyr coll ynddo, byddai'n rhaid gwneud yn siŵr. Y gorau y gallai obeithio amdano oedd y dôi o hyd i lythyr arall a eglurai rywfaint o'r dirgelwch. Byddai angen coffi arall arno.

Ar ei ffordd yn ôl i lawr i'r caffi, cofiodd am y cwestiynau rhyfedd yr oedd Esell wedi eu gofyn iddo lai nag awr ynghynt. Tybed sut y byddai wedi ateb pe bai wedi dod o hyd i'r llythyr cyn dau o'r gloch? Doedd Cai ddim yn hollol siŵr a fyddai wedi datgelu ei fod wedi dod o hyd i'r tamaid annisgwyl hwnnw o wybodaeth wedi'r cyfan. Ond roedd un peth yn sicr. Gallai feddwl am o leiaf un peth i holi Aeres Vaughan amdano pan fyddai'n ei gweld y penwythnos ar ôl y nesaf.

# 16

'I orffen, felly.' Edrychodd y darlithydd ar y cloc yng nghefn yr ystafell. 'Dyma brif nodwedd yr afiechyd. Diffyg geirfa – geirfa sy'n crebachu – ac anallu cynyddol i siarad yn rhugl. Mae hyn wedyn yn arwain at ddirywiad cyffredinol yn y gallu i siarad yn effeithiol ac i ysgrifennu. Ar y dechrau, mae'r claf fel arfer yn gallu cyfathrebu syniadau digon syml heb ormod o drafferth. Wrth wneud rhai tasgau syml – fel ysgrifennu, arlunio, gwisgo dillad – mae'n bosib y bydd y claf yn cael anhawster cydsymud yn effeithiol neu gynllunio o flaen llaw.'

Roedd yr awr wedi dod i ben, a gwelodd rai o'r myfyrwyr yn anniddigo.

'Mae'r cleifion yn aml yn gallu gwneud llawer drostyn nhw'u hunain, ond bydd angen mwy o gymorth wrth gyflawni tasgau mwy cymhleth. Dyna ni am heddiw. Cofiwch am y seminar ddydd Mawrth. Mae manylion y traethawd ar-lein.'

Cododd y myfyrwyr a llifo'n rhes drwy'r drws. Doedd Ffion ddim am fod yr olaf i adael ond, ar ôl llwytho ei laptop i'r bag, cafodd ei hun fel arfer ar gynffon y criw. Cadwodd ei phen i lawr a chau'r drws ar ei hôl.

# 17

Cadwodd Cai ei ben i lawr a chamodd i mewn i'r gwynt. Yn yr haf doedd dim yn well ganddo na cherdded allan drwy brif ddrws y Llyfrgell Genedlaethol a wynebu'r môr yn disgleirio fel rhuban o emwaith gloyw ar y gorwel. Lle cas oedd y drws ffrynt mewn tywydd garw. Tynnodd goler ei got yn uwch a sadiodd ei hun yn erbyn yr hyrddiad nesaf.

Cymerodd eiliad, serch hynny, i edrych tua'r gorwel. Roedd cymylau isel diwedd Hydref yn cribo'r dref. Crymai'r coed yn is, fel pe baent yn ofni y byddai'r cymylau'n cripio'r dail olaf yn rhydd o'u canghennau. Drwy fwlch yn y llwydni gallai weld y môr yn y pellter, a'r ewyn yn stribedi hirion gwyn ar ei hyd.

Ymadawai Cai â'r llyfrgell ar ôl pump fel arfer, pan oedd y dydd wedi hen dywyllu a dim i'w weld o'i flaen ond clytwaith o oleuadau neon. Heddiw cawsai adael yn gynnar. Ar ôl treulio tridiau'n pori drwy'r trydydd bocs o lythyron yng nghasgliad John Earnest, roedd wedi cyrraedd y llythyr olaf ganol y prynhawn, ac yn edrych ymlaen at fynd adref yn gynnar i orffwys ei lygaid blinedig. Roedd hi'n ddydd Iau. Trannoeth byddai'n cwrdd ag Aeres Vaughan.

Daethai o hyd i gyfres arall o lythyron yn llaw Aeres Vaughan yn y trydydd bocs. Roeddynt yn perthyn i gyfnod diweddarach na'r gyfres arall – rhwng 1983 ac 1988 – ac roeddynt ryw gymaint yn wahanol hefyd o ran eu cynnwys. Er mai digwyddiadau digon cyffredin oedd eto'n llenwi trwch y drafodaeth ymron ym mhob achos, roedd y cywair cyffredinol yn fwy amhersonol. Defnyddiai John Earnest lai o Gymraeg ac roedd wedi rhoi'r gorau i geisio denu Aeres Vaughan i ddigwyddiadau yn Llundain a Chaerdydd. Roedd mwy o fwlch hefyd rhwng y naill lythyr a'r llall a rhwng pob pâr. Copïodd bob un yn ei dro. Ni ddaeth o hyd i'r llythyr coll na dim a daflai oleuni ar gynnwys y llythyr un-ddalen.

Cerddodd i lawr y bryn tua'r dref a chyrraedd Chalybeate Street wrth iddi nosi. Roedd addurniadau orenllyd Calan Gaeaf yn ffenestri'r siopau, fel rhyw ragflas cyfoglyd o'r goleuadau Nadoligaidd a ddôi yn eu lle mewn dim o dro. Safodd a'i gefn yn erbyn y rheiddiadur yn ei ystafell yn hanner gwylio ffilm arswyd dymhorol ar y teledu.

Am chwech aeth i'r gawod. Roedd wedi trefnu cwrdd â Dyfan yn nes ymlaen, ond cyn hynny roedd angen pacio ar gyfer y daith y bore wedyn. Arllwysodd gynnwys bag lledr ar lawr a'i ail-lenwi â phâr o jîns, trowsus trwchus a chrysau-T cynnes. Ar eu pennau i'r bag fe daflodd ddwy siwmper, dillad isaf ac ambell ddilledyn rhedeg. Cymerodd gip ar ei ffôn ar ragolygon y tywydd ar gyfer y penwythnos, a chael bod y teclyn mewn penbleth llwyr rhwng glaw a hindda. Ceisiodd stwffio ei esgidiau rhedeg i gornel y bag, cyn sylweddoli y byddai'n haws eu taflu i gist y car. Sylwodd wedyn nad oedd ganddo syniad ym mhle roedd ei allweddi. Chwiliodd yn flin drwy'r pentwr bagiau nad oedd wedi eu dadlwytho eto, cyn cofio wedyn eu bod ym mhoced ei got haf. Sipiodd y bag ynghau a'i osod wrth y drws gyda chot fawr drwchus ar ei ben.

Am naw fe adawodd y fflat a cherdded drwy'r glaw mân tua phen uchaf y dref. Roedd tafarn y Ship yn hanner llawn, a Dyfan yn eistedd yn y gornel bellaf gyda pheint yn ei law.

'Sut ma hi'n mynd ochra Caerdydd?' gofynnodd y moelyn mawr barfog gyda gwên.

'Dim i'w reportio ar y ffrynt yna,' chwarddodd Cai.

'Wela i. Sut hwyl ar y ffrynt arall 'ta?'

'Gwell na'r disgwyl, a dweud y gwir.' Prynodd Cai beint yr un i'r ddau ohonynt ac aeth ati i adrodd hanes hynod y ddeufis diwethaf. Yr alwad funud olaf gan Smith, y sefydliad a oedd wedi ei ariannu'n hael, y tri llond bocs o lythyron a'r cyfarfod rhyfedd ag Esell gyda'i gynnig annisgwyl. Oedodd cyn cyrraedd hanes y llythyr coll. Penderfynodd ar fympwy beidio â sôn amdano.

'Reit dda,' dywedodd Dyfan, 'pwy fasa 'di meddwl?'

'Felly dwi bant fory, 'mond rhyw ddwy neu dair noson.'

'Ble ddudist ti ma hi'n byw eto – ochra Dolgella, ia?'

'Ie, pentre lan ar bwys Brithdir. Fydd raid 'mi edrych ar y map. Pen-llwch. Wyt ti 'di bod yno erioed?'

'Naddo, sti. Fyny tua'r mynyddoedd, ia? Aran Fawddwy ffor'na?'

'Ie, dwi'n credu. Dwi 'di pacio digon o ddillad trwchus, beth bynnag.'

'Fuish i fyny'r Aran rywdro. Gefn gaea oedd hi 'fyd, erbyn meddwl. Fedri di'm 'i gweld hi'n hawdd o'r lôn, ond ma hi'n graig go lew. Gesh i hi i gyd i fi fy hun, dim rhyw bali twristiaid diawl yn deud "good bloody morning" a ballu.'

Cymerodd lwnc o'i ddiod.

'Wedi meddwl,' aeth Dyfan yn ei flaen, 'dwi bron yn siŵr fod yr Aran 'di codi mewn sgwrs yn ddiweddar. Efo pwy o'n i'n siarad, d'wad?' Drymiodd ei fysedd ar y bwrdd. 'Gareth, ma siŵr. Ti'n nabod o? Gareth Williams, Bioleg.'

'Na'dw, dwi'm yn meddwl.'

'Ia, gesh i air efo fo ddechra'r wthnos, deud fod un o'r myfyrwyr gora sy genno fo o'r ardal yna. Dwi bron yn siŵr mai Pen-llwch ddudodd o.'

'Does 'na'm llawer o bobl yn byw yno, o'r hyn dwi'n wbod.'

'Na, debyg. Fedra i ga'l enw iti, os tisio.'

Trodd Cai y syniad yn ei ben.

'Pam lai,' atebodd yn ddidaro, 'rhag ofn imi fynd ar goll.'

Drachtiodd ei beint ac aeth Dyfan at y bar i brynu rownd arall.

Arhosodd y ddau yn y Ship tan hanner awr wedi deg, pan ddechreuodd y lle lenwi'n wirion. Cynyddodd y sŵn nes ei gwneud yn anodd siarad heb weiddi. Aeth y ddau i Rummers am un arall, a Dyfan yn hefru yn erbyn penderfyniad y coleg i uwchraddio'r systemau ar-lein ar ganol diwrnod gwaith, a hynny'n arwain at ddileu'r dewisiadau Cymraeg ar ambell borwr. Gwrandawodd Cai arno a chydymdeimlo orau y gallai, ond roedd ei feddwl ar y daith drannoeth.

Am un ar ddeg dywedodd Cai ei fod am ei throi hi.

'Angen pen clir fory,' dywedodd.

'Beth bynnag wnei di,' ychwanegodd Dyfan ar ôl dymuno'n dda iddo, 'cofia ofyn iddi am arian ar gyfer Astudiaethau Celtaidd.'

Aeth Cai yn ôl i'w fflat drwy'r strydoedd gwlyb. Roedd ar fin distewi ei ffôn am y nos pan gafodd neges gan Dyfan.

> Rhag ofn, dyma hi:
> Ffion Jones
> fjj45@aber.ac.uk
> Pob hwyl iti, Fan Goch

Syllodd Cai ar y sgrin. Doedd dim o'i le mewn holi, meddyliodd. Anfonodd neges gryno at y ferch yn esbonio'r sefyllfa ac yn holi a oedd ganddi amser i gyfarfod am goffi cyflym yn y bore.

Arhosodd am ryw hanner awr rhag ofn y câi ateb. Am hanner nos fe ddiffoddodd ei ffôn, a syrthiodd i gwsg aflonydd.

# 18

Roedd golwg druenus ar y car. Roedd gwerth deufis o wynt a glaw wedi sychu eu traed ar hyd y ffenest flaen a'i pharddu o fel hen stepen drws. Ac yntau wedi ei barcio ar Union Street rhwng dwy dafarn, roedd Cai yn lwcus fod pob un o ffenestri'r car mewn un darn. Tynnodd daflen yn hysbysebu bwyty Indiaidd ar ochr arall y brif stryd yn rhydd o'r weiper cefn a llwythodd ei fagiau i'r gist.

Eisteddodd am rai munudau y tu ôl i'r llyw yn gwylio'r weipers blaen yn gwneud eu gorau i sychu'r baw o'r sgrin. Daeth ei hen dŷ ar ochr arall y stryd i'r golwg yn raddol drwy'r mwrllwch. Gwelodd griw o fois dieithr yn mynd i mewn drwy'r drws dan chwerthin.

Taniodd injan y car o'r diwedd, a chymerodd un cip olaf ar ei ffôn. Dim ateb gan y ferch y soniodd

Dyfan amdani. Roedd Cai wedi bwriadu cychwyn o Aber cyn dau o'r gloch ar yr hwyraf, a bellach roedd hi wedi troi hanner awr wedi dau. Bwriadai gyrraedd pen ei daith cyn iddi nosi. Daeth â map i'r golwg ar y sgrin fach ac edrych eto am leoliad Pen-llwch. Anaml y byddai'n teithio i'r gogledd, a dim ond unwaith neu ddwy yr oedd wedi mentro oddi ar y prif lonydd. Yn ôl yr ap, dylai ddilyn y lôn drwy Fachynlleth a Chorris a throi i gyfeiriad Brithdir cyn cyrraedd Dolgellau. Safai Pen-llwch i'r dwyrain o Frithdir ar gefnen uchel o dir mynydd coediog.

Er bod Cai wedi hen arfer â llusgo mynd yn ei dipyn car eiddil ar hyd lonydd gorllewin Cymru, bu'r daith i Fachynlleth yn flinderus o araf. Bu'n cropian y tu ôl i gynffon hir droellog yr holl ffordd, ac ambell ddarn gwastad yn y lôn yn rhoi iddo gipolwg ar fintai o lorïau trymion yn y pellter. Stopiodd am baned o goffi a thamaid i'w fwyta cyn ailgychwyn tua Chorris. Culhaodd y lôn ar ôl croesi afon Dyfi, gan ddolennu ei ffordd yn araf drwy'r bryniau coediog. Gwaethygodd y traffig wrth i'r mannau pasio brinhau.

Crwydrodd meddwl Cai. Gwelsai enw Aeres Vaughan am y tro cyntaf wrth lun o hen fenyw Gymreig mewn llyfr portreadau pan oedd yn ei ail flwyddyn yn y brifysgol. Gallai weld y llun yn eglur yn ei feddwl. Deallodd bron yn syth mai rhyw fath o deyrnged ydoedd i lun enwog Curnow Vosper o Siân Owen yng nghapel Salem. Ynteu ai herio'r llun hwnnw oedd y bwriad? Safai'r Siân Owen yn narlun Aeres Vaughan gyda'r un osgo gyfarwydd, ei chefn wedi crymu rhyw gymaint a siôl gain am ei hysgwyddau, ond syllai ei llygaid swrth yn syth at y gwyliwr. A'r tu ôl iddi yn y cefndir, yn lle cynulliad o addolwyr duwiol, safai mam a'i phlentyn mewn jîns a chrys-T. Rhith oedd y Siân Owen honno, mewn gwirionedd, un a wisgai'r siôl a'r brethyn o naw tan bump i bortreadu'r bywyd gwerinol fel rhan o'i gwaith mewn rhyw ganolfan dreftadaeth. Roedd y ddelwedd wedi ei daro yn ei dalcen, a'i ddiddordeb yng ngwaith Aeres Vaughan wedi ei danio.

Ond roedd Aeres Vaughan yr un mor ddieithr iddo, mewn gwirionedd, â'r Siân Owen wreiddiol. Ar ôl treulio'n agos at ddwy flynedd yn dod yn gyfarwydd â'i gwaith, roedd ar fin cyfarfod â hi wyneb yn wyneb, yn y cnawd, heb rithyn o syniad beth i'w ddisgwyl. Gwyddai iddi gael ei geni yn Ninbych, ac iddi astudio yng ngholeg Slade cyn dychwelyd i Gymru dros ddeugain mlynedd yn ôl. Roedd bellach yn bymtheg a thrigain oed. Gadawsai Lundain pan oedd ei bri fel paentiwr portreadau ar ei anterth, ac ers hynny buasai'n byw fel meudwy mewn pentref diarffordd, gan ymroi bron yn llwyr i'r gwaith o greu tirluniau. Roedd llawer o'r lluniau hynny wedi eu harddangos mewn orielau yn ystod y saithdegau a'r wythdegau, ond un neu ddau lun bob yn ail flwyddyn yn unig a ryddheid o'r plas bellach, ac eithriad oedd y sawl a gâi fynediad i'r tŷ i weld y trysorau a gedwid yno.

Nadreddodd y confoi cerbydau heibio Tal-y-llyn ac i fyny drwy'r bwlch. Gorweddai niwl isel ar gopaon y mynyddoedd, ac roedd yr olygfa ar draws gwlad tuag at Frithdir wedi ei chelu bron yn llwyr dan gawod o law. Daeth y troad i Frithdir yn fuan wedyn, a gadawodd Cai y brif lôn a phlymio i gwm bychan coediog. Croesodd bont ryfeddol o gul a dilyn y lôn yn ôl i fyny'n raddol at bentref bychan Brithdir. Trodd eto ar gornel gas yng nghanol y pentref ac anelu tua'r dwyrain. Ymhen rhyw filltir, ar ôl dringo'n raddol, gwelodd glwstwr o dai ym mhen draw'r lôn, ac arwydd Pen-llwch yn dod yn araf i'w gwrdd.

Sylweddolodd ei fod wedi gweld yr un olygfa o'r blaen, a hynny'n ddiweddar. Gwelodd dalcen tŷ gwyn ar ochr chwith y lôn, a chofiodd iddo weld yr un tŷ ryw bythnefnos yn ôl mewn braslun pen ac inc yr oedd Aeres Vaughan wedi ei anfon at John Earnest. Gyrrodd heibio rhes o dai cerrig a chapel bychan ar ochr arall y lôn, a honno'n gogwyddo tua'r chwith heibio dyrnaid o dai eraill ym mhen draw'r pentref. Arafodd ei gar. Roedd Pen-llwch hyd yn oed yn llai nag yr oedd wedi ei ddisgwyl. Doedd yno'r un dafarn, hyd yn oed.

Stopiodd y car ar ymyl y lôn. Agorodd y drws a

sylwodd ei bod yn dechrau bwrw glaw mân, felly gwisgodd ei got yn gyflym a cherddodd ryw hanner canllath yn ôl y ffordd y daethai, gan adael i'r injan redeg. Roedd y lôn ychydig yn uwch yng nghanol y pentref, a gallai weld y rhan fwyaf o'r tai a thros y gwrychoedd i'r tir agored o'i amgylch. Er nad oedd wedi dechrau nosi eto, roedd y cymylau isel yn gwneud i bopeth dros bellter o ryw dri chan llath ymddangos yn dywyll ac aneglur. Ni welai ddim byd tebyg i blas. Cymerodd gip ar ei ffôn, ond doedd ond un barryn signal bach yn y golwg. Byddai am hydoedd yn llwytho'r map. Chwiliodd o'i amgylch am lôn fach gul yr oedd wedi gyrru heibio iddi wrth fynd drwy'r pentref, ond gwelodd mai lôn leidiog oedd hi yn arwain at glwstwr o adeiladau fferm ar godiad tir. Safodd yn ei unfan yng nghanol y pentref yn rhythu i'r pellter o'i gwmpas am unrhyw arwydd o dalcen tŷ neu gorn simnai.

Daeth gwth annisgwyl o wynt o rywle i frathu ei wyneb, a throdd i ffwrdd i'w gysgodi ei hun. Pan agorodd ei lygaid, sylwodd fod agoriad bychan yn y lôn i'r cyfeiriad arall. Roedd troad arall yno ychydig bellter ymlaen heibio ei gar. Dilynodd linell dywyll y lôn honno drwy'r caeau ac i fyny ar hyd ochr bryn coediog. Yno yng nghysgod y bryn safai tŷ cerrig tywyll. Roedd bron yr un lliw'n union â'r goedwig y tu ôl iddo.

Brysiodd yn ôl at ei gar a gyrru ymlaen yn araf at

y troad. Trodd ei gar oddi ar y lôn darmac i mewn drwy hollt gul yn y gwrych ac i lawr lôn fach raean anwastad ac arni bob hyn a hyn ddarnau pytiog o goncrid. Arweiniai un stribed hir o laswellt yng nghanol y lôn y ffordd drwy'r caeau ac ar hyd ochr y bryn. Daeth y coed noeth i grymu eu canghennau duon uwchben y gwrychoedd ar bob ochr ac, wrth droi'r gornel yn araf, daeth y plas i'r golwg ym mhen draw'r lôn.

Pan glywsai Cai enw Plas Helygog am y tro cyntaf roedd wedi creu yn ei ben ryw fraslun o blasty mawreddog a chanddo res o simneiau tal a llond y lle o ffenestri uchel. Sylweddolodd mai delfryd Seisnig oedd honno, a bod plastai Cymreig yn bethau mwy diymhongar o lawer. Roedd yr adeilad a welai o'i flaen yn llai nag yr oedd wedi ymddangos o'r lôn fawr, hyd yn oed, ac yn bellach i ffwrdd o'r coed nag yr ymddangosai ar yr olwg gyntaf. Nid oedd ond un adeilad, a hwnnw bron yn sgwâr, gyda darnau eraill llai wedi eu hatodi y tu cefn iddo, ac un simnai hir yn codi o'r to. Wynebai dwy res o dair ffenest lydan i gyfeiriad y gorllewin tuag at y pentref islaw ar waelod llethr graddol o gaeau agored. Y cerrig llwyd tywyll oedd nodwedd fwyaf trawiadol y tŷ, a roddai iddo ryw wytnwch solet a weddai i'r wlad o'i amgylch.

Parciodd ei gar o flaen yr adeilad a syllodd i fyny arno'n betrus drwy'r ffenest fudr. Gwelodd olau yn nwy o ffenestri'r llawr gwaelod, a'r mymryn lleiaf o fwg yn codi o'r simnai i'r awyr lwyd. Cymerodd gip arall ar ei ffôn. Dim signal. Diffoddodd yr injan.

Wrth gerdded tua'r drws, ei fag ar ei gefn a choler ei got yn uchel, sylwodd fod car arall wedi ei barcio dan goeden wrth ymyl y tŷ. Rhoes gnoc ar y drws mawr du a chamodd yn ôl.

Ymhen ychydig clywodd wich isel y drws yn agor a llais yn ei gyfarch.

'Pnawn da, Cai. Croeso i Blas Helygog.'

# 19

Syllai Ffion allan drwy ffenest fach ei hystafell wely. Gwelsai'r un hen olygfa drwy ei phlentyndod a'i harddegau. Polyn teligraff ar ochr arall y stryd, yna'r tŷ cyntaf mewn rhes o dai cerrig syml, a'r caeau y tu ôl iddo'n arwain heibio fferm Llety Ganol i fyny tuag at gefnen o fynyddoedd llwm. Roedd y polyn wedi ei wlychu bron yn llwyr gan y glaw ac yn ddu seimllyd ar ei hyd. Tywyllai ôl y gawod wyneb y tŷ gyferbyn hefyd, ac roedd hyd yn oed y defaid gwlanog yn y cae yn fudr ac aflêr.

Clywodd ei thad yn galw arni o'r gegin.

O leiaf roedd rhywun yn dweud rhywbeth wrthi fan hyn. Gallasai syllu allan drwy'r ffenest yn ei hystafell wely ar Stryd y Popty drwy'r dydd bob dydd heb i neb holi dim amdani. Ar y llaw arall, doedd dim llyfrgell ym Mhen-llwch, ac roedd hynny o gysylltiad â'r we oedd yno'n araf a di-ddal. Byddai'n rhaid iddi wneud y gorau dros y ddeuddydd nesaf o'r hyn a oedd ganddi eisoes ar ei laptop a'r ychydig lyfrau a ddaethai gyda hi o Aber.

Caeodd glawr ei laptop a gwelodd y tu ôl iddo res o'i llyfrau ysgol. Doedd fawr ddim wedi newid yn ei hystafell ers iddi adael am y coleg ddwy flynedd yn ôl. Yr un lluniau plentynnaidd ar y waliau, yr un llyfrau ar y silff fach wrth y gwely a'r un trugareddau diddim ar hyd y lle fel briwsion bara.

Clywodd ei thad yn galw eto, ac aeth i lawr i'r gegin.

'Gweithio wyt ti?' gofynnodd. 'Tyd iti gael paned.'

Eisteddodd Ffion wrth y bwrdd.

'Fuodd Mrs Evans yma ddoe,' dywedodd ei thad, 'efo rhyw bethe imi o'r siop. Un dda ydi hi, chwara teg. A dyma iti ddarn o gacen gan Elan. Mi 'nillodd hi, sti.'

Ceisiodd Ffion edrych yn ddiolchgar. Cymerodd lwnc o'r gacen sych gyda'i phaned. Roedd blas gweddol arni.

'*First prize* yn y steddfod. Ma'n siŵr y daw hi yma fory, i glywed dy hanes di.'

Ceisiodd Ffion feddwl sut fath o gelwyddau y medrai hi eu consurio cyn hynny. Doedd fiw iddi sôn wrth y ferch fach amdani'n yfed ar ei phen ei hun ac yn astudio pathogenau ffyrnig ac afiechydon a fedrai ddifetha'r ymennydd.

'Sut ma'ch coes chi?' gofynnodd.

Mwythodd yntau ei goes dde'n reddfol.

'Dydi'r oerfel ddim fel 'se'n cydio ynddi 'leni eto, diolch i'r drefn. Dal i gymryd y pils, ddudodd Doctor Williams. Mi dwi'n cysgu'n well nag wyt ti'n feddwl, sti.'

Sylwodd Ffion fod ei thad yn gwneud ei orau i'w hargyhoeddi yn ei ffordd gynnil ei hun. Edrychodd arno'n fanwl am y tro cyntaf ers iddi gyrraedd Pen-llwch y bore hwnnw. Nid oedd fawr gwaeth nag arfer, ei wyneb braidd yn welw, efallai, ond fe symudai'n chwimwth ar ei faglau drwy'r tŷ. Roedd yr un hen gysgodion o dan ei lygaid, serch hynny, a chysgod tyfiant o flew brith-denau ar hyd ei ên.

'Sut hwyl tua'r coleg 'na?'

'Dim byd diddorol iawn. Semester cynta ydi hi.'

'Wela i. Beth am y rheini oeddet ti'n byw efo nhw llynedd, Anwen a'r lleill?'

'Ma nhw'n iawn. Wela i mo'nyn nhw'n aml.'

'A'r criw newydd, sut rai yden nhw?'

'Cwmni da,' atebodd Ffion, ei thro hithau bellach i geisio argyhoeddi. 'Ma 'na rw wledd ar 'i ffor' Dolig. Fyddwn ni i gyd yn mynd i honno.'

Sylwodd fod ei thad yn syllu arni.

'Oes 'na wasanaeth yn y capel 'leni?' gofynnodd er mwyn newid testun y sgwrs.

'Pwy a ŵyr? Mae o 'di cau ar hyn o bryd. Does 'na neb 'di bod yma'n pregethu ers misoedd, a dwi'm yn 'u beio nhw. Does 'na neb yn dod. Ond mi es i â blode'r wythnos o'r blaen. Mrs Evans ddoth â nhw imi o' dre. Ma nhw'n hardd. Fydd raid 'ti fynd i'w gweld nhw.'

Syllodd Ffion dros ysgwydd ei thad tuag at fwrdd bychan yng nghornel yr ystafell. Arno roedd llun wedi ei fframio o'i rhieni ar ddiwrnod eu priodas. Cof plentyn chwech oed oedd ganddi o'i mam, ambell frith atgof amdani'n ei dal yn ei breichiau wrth ddarllen llyfr neu ar ôl iddi syrthio un tro a cholli un o'i dannedd blaen. Roedd lluniau ohoni drwy'r tŷ, ond ei thad yn unig a fedrai edrych arnynt a'i hadnabod.

'Mi a' i fory.'

# 20

'Mae'n ddrwg gen i am yr aros. Anaml y bydda i'n defnyddio'r drws ffrynt – mae'r drws ochr yn fwy cyfleus.'

Croesodd Cai y rhiniog a'i gael ei hun mewn cyntedd agored dan nenfwd uchel yn arwain at res o risiau pren llydan. O'i amgylch ar y waliau crogai dwsinau o luniau Aeres Vaughan.

'Dewch â'ch bagiau i'r stafell yn gyntaf,' dywedodd Esell. Safodd Cai yn ei unfan am rai eiliadau yn syllu ar y waliau, yna dilynodd Esell i fyny'r grisiau ac ar hyd y landin at goridor tywyll. Bob yn ail gam fe âi heibio i lun arall gan Aeres Vaughan. Tirlun mynyddig, llun o lyn a phentref, llun arall o dref a choedwig yn y pellter. Roedd yn barod i fentro nad oedd y rhan fwyaf ohonynt wedi eu gweld y tu allan i'r plas erioed.

Ym mhen draw'r coridor agorodd Esell ddrws trwchus i ystafell wely sgwâr ac ynddi wely dwbl ar goesau metel ynghyd ag ambell gelficyn pren trwm.

'Mae'r stafell ymolchi fan hyn,' agorodd Esell ddrws arall i ystafell lai ac ynddi faddon a sinc, 'ac mi gewch chi helpu eich hun i ddiodydd ac ati yn y gegin i lawr grisiau. Gwnewch eich hun yn gartrefol, ac fe ddangosa i'r gegin ichi pan ddewch i lawr.'

Diolchodd Cai iddo, a chaeodd Esell y drws ar ei ôl. Rhoes Cai ei fag ar y gwely. Roedd arogl henaidd yn yr ystafell, fel pe na bai neb wedi cysgu ynddi ers blynyddoedd lawer. Aeth draw at y ffenest a thynnu un o'r llenni i'r naill ochr. Gwelodd ei gar islaw yn y clos, a rennid oddi wrth y cae gyferbyn gan wrych isel a ffens. Rhedai'r cae hwnnw i lawr tuag at y fferm a welsai'n gynharach ac yna bentref Pen-llwch yn y pellter agos. Edrychai'r wlad i gyd yn llwyd a gwlyb.

Trodd yn ei unfan oddi wrth yr olygfa a syllodd ar ddarlun mawr a grogai ar y wal uwchben ei wely. Llun olew ydoedd ar gynfas eang. Llun o ferch lygatddu yn edrych yn syth at y gwyliwr. Adnabyddodd hi fel y ferch y gwelsai frasluniau ohoni yng nghasgliad John Earnest yn y Llyfrgell Genedlaethol, ond bod ei llygaid yn edrych tua'r llawr yn y lluniau hynny, os cofiai'n iawn. Craffodd ar ymylau'r llun ond ni ddaeth o hyd i unrhyw ysgrifen a ddywedai pwy oedd y ferch. Oedodd am eiliad i edmygu'r gwaith llaw cain yn y paent ar wisg y ferch a'i gwallt tywyll hir, a'r manylder cynnil ar ei hwyneb glân.

Aeth Cai at y sinc a thaflodd ychydig o ddŵr oer ar ei wyneb. Sychodd ei hun ac aeth i lawr y ffordd y daethai, gan oedi yn awr ac yn y man i graffu ar rai o'r lluniau ar bob llaw. Daeth o hyd i Esell, a ddangosodd iddo'r gegin a'r drws ochr, a'i annog i'w defnyddio fel y mynnai.

'Mae Miss Vaughan yn eich disgwyl,' dywedodd, gan arwain Cai drwy ddrws yn y cyntedd at goridor arall. Agorodd ddrws i un o ystafelloedd cefn yr adeilad, ac aeth Cai i mewn ar ei ôl.

Cafodd ei hun mewn ystafell fawr. Ar bob wal fe grogai lluniau cynfas o bob maint, tirluniau gan mwyaf ac ambell bortread yma ac acw. Oddi tanynt o gwmpas yr ystafell safai degau o silffoedd llyfrau llawn a phob math o gadeiriau a lampau a phetheuach tebyg. Roedd un lamp ynghyn yng nghornel bellaf yr ystafell, a thân wrth ei hymyl yn mudlosgi yn y grât. Yn eu golau melyn mwyn, mewn hen gadair freichiau werdd yng nghanol yr ystafell, eisteddai Aeres Vaughan.

'Dyma Mr Wynne, Aeres.'

Cododd yr hen ddynes ei phen o'r llyfr o'i blaen. Tynnodd ei sbectol oddi ar ei thrwyn a syllu'n chwilfrydig ar wyneb Cai.

'Mae'n bleser gen i'ch cyfarfod chi, Miss Vaughan.'

Ysgydwodd ei law.

'Mae'n braf gen i'ch cyfarfod chi, Mr Wynne. Mae Peter fan hyn wedi dweud llawer wrtha i amdanach chi. Ond dwi'n siŵr bod llawer mwy i'w ddweud.'

Gwenodd arno wrth siarad. Roedd ei dannedd yn rhyfeddol o loyw, ac ystyried ei hoedran, a'i chroen yn lân. Roedd hi'n hardd, meddyliodd Cai. Fe wyddai hynny erioed o'r ychydig luniau du a gwyn a welsai ohoni yn ei hieuenctid, ond roedd wedi disgwyl y buasai'r holl flynyddoedd a dreuliasai'n feudwy ym Mhen-llwch wedi gadael mwy o ôl arni. I'r gwrthwyneb, roedd hi wedi cadw ei harddwch er gwaethaf ei hoedran.

Arweiniodd Esell ef at gadair freichiau gyferbyn. Cynigiodd wneud diod, a gofynnodd y ddau am goffi.

'Hoffwn i ddiolch ichi,' dywedodd Cai ar ôl i Esell ei esgusodi'i hun, 'ar y dechrau fel hyn, Miss Vaughan, am fy ngwahodd i yma, ac am ariannu'r ymchwil. Mae'n fraint.'

Roedd llygaid Aeres Vaughan yn dal i'w astudio'n frwd.

'Fi sy pia'r fraint,' atebodd, 'am hawlio sylw ymchwilydd ifanc disglair. Mi ddarllenes i'ch traethawd, a chael blas mawr arno. Ry'ch chi'n ysgrifennu'n rhwydd iawn.'

Cywilyddiodd Cai fod y foneddiges hon wedi darllen ei dipyn traethawd. Fflachiodd ambell ddarn ohono drwy ei feddwl; sylwadau prentis ar luniau na ddychmygodd erioed y caent eu darllen gan yr artist ei hun. Gwthiodd ei ofidiau i gefn ei feddwl.

'Ry'ch chi'n rhy garedig,' dywedodd. 'A dweud y gwir, fysen i ddim wedi mentro i'r maes heb i'ch gwaith chi, yn y lle cyntaf, roi ysbrydoliaeth imi.'

Nodiodd Aeres Vaughan.

'Soniodd Peter eich bod chi'n ymroddedig iawn. Dwedwch, be sy'n eich gyrru chi? A pheidiwch â dweud fy ngwaith i. Beth am y profiad ei hun?'

Oedodd Cai. Doedd e ddim wedi disgwyl cyfweliad arall.

'Mae'n debyg,' atebodd yn araf, 'mai dod â rhywbeth i olau dydd – dyna'r mwynhad. Dyna'r cyffro. Dod â rhywbeth mae pawb wedi anghofio amdano, rhyw ddawn brin, i sylw'r byd.'

Gwenodd Aeres Vaughan a phwysodd yn ôl yn ei chadair. Sylwodd Cai mai â'i cheg, yn bennaf, y gwenai. Ychydig iawn o groen o amgylch ei llygaid a grychai, ac fe rôi hynny ryw olwg bell i'w llygaid gloyw. Bron nad oedd hi'n edrych yn drist, meddyliodd, er gwaethaf ei meddwl byw a disgleirdeb ei llais.

Aeth y ddau ymlaen i drafod siwrnai Cai i Feirionnydd a'r tywydd annymunol. Ymhen ychydig daeth Esell i mewn â dwy baned o goffi.

'Dwi wedi cynnau'r tân yn eich llofft, Cai,' dywedodd, 'rhag i'r ystafell oeri.'

Diolchodd Cai iddo.

'Bydd swper yn barod mewn rhyw awr.' Oedodd Esell yn y drws am eiliad.

'Diolch, Peter,' dywedodd Aeres Vaughan, ac esgusododd Esell ei hun. 'Fyddwch chi'n aros tan ddydd Sul?' gofynnodd ar ôl i'r drws gau.

'Os yw hynny'n gyfleus,' atebodd Cai. 'Byddai'n werth imi wneud y gorau o'r amser.' Yfodd ei goffi'n ofalus. 'Sylwes i fod llawer iawn o'ch gwaith chi i fyny ar y waliau.'

'Fy rhai i yw'r rhan fwyaf,' atebodd Aeres Vaughan. 'Peter sy'n hoffi'u rhoi nhw i fyny a'u newid nhw o gwmpas bob hyn a hyn. Mae llawer iawn mwy'n cael eu cadw yn y stafell gefn. Mi fydde'n dda gen i pe na bawn i'n gorfod gweld un neu ddau ohonyn nhw, a deud y gwir.' Chwarddodd yn ysgafn. 'Wyddoch chi'r teimlad – rhyw wendid bach fan hyn a fan draw. Dim ond y chi fel artist sy'n ymwybodol o rai o'r brychau.'

Cytunodd Cai.

'Ry'ch chi, Cai, yn arlunydd eich hun, ydych?'

Ysgydwodd Cai ei ben.

'A dweud y gwir,' atebodd yn wylaidd, 'dwi ddim wedi gwneud llawer ers imi orffen fy ngradd.'

'Pam hynny? Ry'ch chi'n *portrait artist* abl iawn, o'r hyn dwi wedi'i weld.'

Syllodd Cai arni. Faint mwy o'i waith yr oedd Aeres Vaughan wedi chwilota drwyddo?

'Diolch ichi am ddweud. Cymysgedd o ddiffyg arian a diffyg diddordeb oedd hi, am wn i.'

'Diffyg diddordeb pwy?'

'Pobl eraill. A fi fy hun, os ydw i'n onest.'

'Mae pawb yn colli'r awydd yn awr ac yn y man,' dywedodd Aeres Vaughan gyda thinc o gerydd yn ei llais, 'ond dydi hi ddim yn syniad da gwrando gormod ar farn pobl eraill. Neu o leiaf ar farn pobl eraill nad yden nhw wedi llwyddo eu hunain. Dyna ddwedai Ezra Pound, beth bynnag, ac mae hynny'n ddigon da i mi.'

'Beth amdanoch chi,' gofynnodd Cai, gan weld ei gyfle i ddechrau crafu dan yr wyneb, 'ydech chi'n colli'r awydd weithiau?'

'O, ydw. Neu o leiaf mi oeddwn i, ar un adeg. Erbyn ichi gyrraedd fy oedran i, mae o fel gwylio'r llanw'n mynd mewn ac allan.'

'Beth am golli'r awydd i wneud un peth yn lle'r llall?'

Edrychodd Aeres Vaughan arno'n graff.

'Am y portreadau ry'ch chi'n sôn, dwi'n cymryd?'
Gwenodd yn dawel a throi i edrych i'r tân. 'Mae
pawb yn gofyn am hynny'n hwyr neu'n hwyrach.
Mi wnes innau golli'r awydd hefyd, am wn i. Mi
oedd Llundain wedi mynd yn hen le cas. Pawb yn
gwirioni ar eich lluniau un eiliad, ac yna'r eiliad
nesa'n rhoi cyllell yn eich cefn. Doedd hi ddim
yn lle i Gymraes ifanc fod, dim mwy nag yw hi
heddiw. Felly dyma droi'n ôl at Gymru, a phwy
fedrai anwybyddu tirwedd anhygoel y wlad hon,
dwedwch? Aeth y tirlun â 'mryd i.'

Cytunodd Cai. Syrthiodd tawelwch ar yr ystafell.
Roedd Aeres Vaughan wedi dod â'i brawddeg i ben
fel pe bai hi ar fin dweud rhywbeth arall. Roedd
Cai ar fin parhau â'i gwestiynu pan drodd yr hen
ddynes tuag ato.

'Ond nid dyna'r gwirionedd yn llawn, chwaith.'
Roedd ei llais yn ochelgar ond yn glir. Rhoes ei
phaned i lawr.

'Ym mis Medi 1973 bu farw perthynas annwyl
imi. Catrin oedd ei henw, a hi oedd fy nith. Roedd
hi'n byw yn un o'r tai cerrig yn y pentre, a draw
acw hefyd, yn y fynwent, mae hi wedi'i chladdu.
Bu hi farw pan oeddwn i yn Llundain. Pan oedd y
byd Saesneg yn canu fy nghlodydd, a minnau wedi
dechrau anghofio amdani. Ond hebddi, fyswn i
erioed wedi derbyn yr un gair o glod. Wyddoch chi
mai hi ydi'r ferch yn y ffrog goch?'

Ysgydwodd Cai ei ben.

'Ie, hi yw'r ferch yn y ffrog goch. Hi yw'r ferch a ddenodd lygad pawb, y ferch y dwedodd Clark amdani ei bod yn "blessed with unholy innocence". Roedd llawer yn meddwl mai un o'r modelau yn Llundain ar y pryd oedd hi, ond na – fy Nghatrin i yw hi. A bu bron imi anghofio amdani, yn fy ffolineb. Ddois i'n ôl i Gymru, yma i Ben-llwch, i'w hangladd hi. A dydw i ddim wedi gadael ers hynny.'

Syllodd Cai arni'n fud. Doedd yr un o'r llyfrau wedi dod yn agos ati. Roedd yr ychydig astudiaethau a oedd ar gael ar waith Aeres Vaughan yn gwbl annigonol. Ni wyddai'r beirniaid Llundeinig a ffolodd ar ei phortreadau ddim am ei bywyd yng Nghymru, ac nid oedd y beirniaid o Gymru wedi canolbwyntio ar ddim ond ei thirluniau diweddarach.

'Pwy sy'n gwybod ...' dechreuodd Cai.

'Fawr neb, am wn i,' dywedodd yn ddidaro, 'er nad ydw i wedi ceisio celu'r peth erioed.'

Rhoes Cai ei goffi i lawr. Ceisiodd roi trefn ar ei feddyliau.

'Ddes i o hyd i ddau o'ch braslunie chi yn Aber,' dywedodd, 'ro'n nhw yng nghasgliad John Earnest. Ai'r un ferch sy yn y lluniau hynny, eich nith?'

'Sut oedd hi'n edrych?'

'Ffrog flodeuog, dwi'n meddwl. Roedd hi'n eistedd, yn edrych tua'r llawr.'

'Ie, mae'n rhaid. Hi oedd fy hoff destun i. Rhaid fy 'mod i wedi gwneud ugeiniau o luniau ohoni. Roedd modelau eraill, wrth gwrs, yn Llundain, ond doedd neb yn debyg iddi hi. Roedd hi fel chwaer fach imi, neu ro'n i fel mam iddi. Fuodd ei mam hi, oedd yn chwaer imi, farw pan oedd Catrin yn faban. Ro'n i wrth fy modd yn dod adre i Gymru i'w gweld hi. Ac roedd hi, wrth gwrs, wrth ei bodd yn cael ei llun wedi'i baentio.'

Clywodd Cai nodyn trist yn ei llais, ac edifeirwch hefyd. Yna roedd Aeres Vaughan wedi ailafael yn ei phaned, a newidiodd tôn ei llais.

'Roedd hi hefyd yn paentio ei lluniau ei hun. Dyna dristwch y peth. Pe bai hi wedi cael byw, byddai wedi bod yn artist gwirioneddol dda.'

Aeth yn ddistaw am eiliad. Taflodd gipolwg sydyn at y drws, cyn hoelio ei llygaid yn ôl ar Cai.

'Rhyngoch chi a mi, Cai, fe benderfynais i eich gwahodd yma heno am imi adnabod yn eich gwaith yr un ymroddiad ag oedd gen i tuag at fy ngwaith, amser maith yn ôl. Bydd drws Plas Helygog ar agor ichi tra mynnwch – ond ar un amod.'

Gwingodd Cai. Roedd wedi clywed yr un geiriau'n dod o enau Esell dros wythnos yn ôl.

'Hoffwn ichi neilltuo adran gyfan yn eich astudiaeth ar gyfer gwaith fy nith. Mae hi, yn fwy na fi erioed, wedi ei hesgeuluso a'i hanwybyddu, a hynny ers cymaint o flynyddoedd. Gwnewch hyn i mi – ffafr, os mynnwch chi, i hen ddynes ffôl – ac fe gewch rwydd hynt gen i i weld pob un llun sy dan do'r hen dŷ yma.'

Syllodd Cai arni'n syn, a cheisiodd guddio ei anniddigrwydd. Ac yntau o'r braidd wedi dechrau dod i adnabod un artist y bu'n astudio ei gwaith ers blynyddoedd, roedd gofyn iddo'n awr astudio gwaith artist arall na wyddai am ei bodolaeth lai na phum munud yn ôl.

'Gyda phob parch,' ymbalfalodd, 'dwi'n gwybod y nesaf peth i ddim am eich nith, Miss Vaughan. Dwi ddim hyd yn oed wedi gweld yr un o'i lluniau hi …'

'Ond ry'ch chi wedi, Cai. Pwy ydech chi'n meddwl baentiodd y llun o'r ferch sy uwchben y gwely yn eich stafell chi? Hunanbortread ydi o. Catrin ei hun yw'r artist.'

# 21

Fore Sadwrn safai Ffion o flaen ei laptop yn aros i ddalen we lwytho ar y sgrin. Syllodd ar y barryn ar frig y porwr yn araf lenwi, ychydig filimedrau ar y tro, cyn neidio ymlaen ryw fodfedd arall ac arafu eto. Caeodd y ffenest yn ddiamynedd. Roedd y cyngor sir yn sôn byth a hefyd am uwchraddio'r system er mwyn 'gwella'r cyflenwad yn ein cymunedau gwledig', ond teimlai'r we mor bell o Ben-llwch â wyneb y lleuad.

Caeodd glawr y laptop ac aeth i eistedd ar sìl y ffenest a'i phen mewn llyfr. *Viral Pathogenic Theory of Disease* oedd y diweddaraf ar y rhestr ddarllen.

> During most of human prehistory, groups of hunter-gatherers usually numbered fewer than 150 individuals …

Dechreuodd gyfieithu'r brawddegau nesaf yn ei phen.

> Anaml iawn y byddai grwpiau felly'n dod i gyswllt â llwythau eraill. Byddai afiechydon epidemig yn chwythu eu plwc ar ôl heintio'r boblogaeth gyfan mewn grwpiau ynysig fel hyn, gan fod heintiau epidemig yn ddibynnol ar gyswllt parhaus â phobl nad ydynt wedi datblygu imiwnedd at yr haint.

Nododd ychydig eiriau ar ymyl y ddalen.

> To persist in such a population, a pathogen either had to be a chronic infection, staying alive and infectious in the host for long periods, or it had to have a non-human reservoir in which it could survive until new hosts made contact. In fact, for many 'human' diseases, the human is actually an accidental or incidental victim and a dead-end host.

Cododd ei phen ac edrych allan drwy'r ffenest fach. Roedd y cymylau isel wedi codi dros nos, ac yn eu lle daethai cyfres o gawodydd ysbeidiol i chwythu drwy'r pentref. Roedd popeth a welai Ffion bellach yn wlyb, o gerrig y tai i'r lôn darmac ddu i'r brain ar y gwifrau teligraff, ac yn sgleinio gan olau haul pŵl na lwyddai, er pob ymdrech, i ddianc yn rhydd o afael y cymylau trwchus.

Roedd y pentref cyfan fel corff sâl, meddyliodd. Edrychodd ar y rhes o dai cerrig ar ochr arall y lôn, a'u gweld fel rhes o gelloedd. Roedd y rhan fwyaf ohonynt, wedi'r cyfan, yn gartrefi i hen bobl a oedd yn dioddef o ryw salwch neu'i gilydd. Mr a Mrs Woodville o Surrey yn y tŷ pellaf, y naill yn gofalu am y llall, a hithau'n gaeth i'r gwely gan ryw glefyd yn ei hesgyrn. Mr Owen yn y tŷ nesaf, ei feddwl wedi ffwndro. Mr Davies wedyn, wedi ymddeol yn gynnar oherwydd y straen o redeg ysgol. Roedd teulu Hughes Llety Ganol, hyd yn oed, wedi gorfod difa rhywfaint o'r stoc dros yr haf oherwydd rhyw afiechyd ymysg y defaid. Ac wedyn ei chartref hi ei hun a'i thad. Tŷ Mrs Evans ac Elan gyferbyn oedd yr unig lygedyn golau, fel celloedd gwyn yn brwydro'n erbyn y llif.

Dychmygodd weld hogiau'r cownsil yn dod i osod ceblau yn y lôn. A'r corff ar ei wely angau, dôi'r meddygon i'w gysylltu â'r peiriant achub bywyd, y pibellau'n gwthio gwaed drwy'r gwythiennau am ychydig oriau eto.

Os rhôi ei hwyneb yn agos at baen y ffenest fach, gallai weld i lawr i ben pellaf y pentref. Yno roedd y capel, a'r hen fynwent yn ymestyn i mewn i'r cae y tu ôl i'r adeilad, a'r plas yn y pellter yng nghysgod y coed. Pan fu ei mam yn sâl yn yr ysbyty, yn ôl yr hyn a glywsai gan ei thad, roedd y meddygon wedi ceisio torri'r celloedd a oedd wedi eu heintio â chanser yn rhydd o'i chorff. Bu'r llawdriniaeth yn llwyddiannus, ar yr olwg gyntaf, ond daeth yn amlwg yn fuan wedyn fod yr haint wedi dianc i gelloedd eraill.

O leiaf roedd gobaith torri'r drygioni i ffwrdd gyda chanser, meddyliodd. Doedd dim dianc rhag feirws. Ar ôl torri i mewn yn ddirgel drwy amddiffynfeydd y corff, fe arhosai yno'n derfynol, gan luosogi ac ymrithio'n dawel hyd nes ei fod wedi concro'r corff yn llwyr.

Dychmygodd sut fath o afiechyd oedd yn llethu Pen-llwch. Doedd dim golwg fod y corff yn debygol o wella pe torrid un o'r celloedd ymaith, felly rhaid mai feirws oedd y drwg. Doedd ond gobeithio na châi gyfle i ymledu.

Dechreuodd anwedd ei hanadl godi ar hyd y paen. Rhoes y gorau i'w diagnosis ffuantus, ac aeth ymlaen â'i darllen.

## 22

Deffrôdd Cai yn gynnar ac aeth yn syth i'r gawod. Aethai i'w wely'n gynnar y noson gynt. Roedd wedi rhyw gytuno'n fras â'r amod a roesai Aeres Vaughan arno, cyn i Esell ddod i mewn yn fuan wedyn a thorri'r drafodaeth ar ei hanner. Cawsai'r tri swper wedyn a sgyrsio'n gyffredinol am y byd addysg yn y colegau a'r adfywiad diweddar mewn astudio celf yng Nghymru. Cawsai Cai wydraid o win coch gyda'r bwyd ac aethai i deimlo'n flinedig. Roedd effaith y daith a'r tywydd llwm wedi dechrau dweud arno, ac roedd wedi'i esgusodi ei hun cyn deg.

Ar ganol gwisgo y bore hwnnw aeth at y ffenest a thynnu cwr y llenni. Roedd y cymylau isel wedi mynd a'r holl olygfa'n edrych yn boenus o ffres. Roedd llawer o law wedi disgyn dros nos, ac edrychai'r caeau'n drwm gan ddŵr fel rhes o gadachau budron rhyngddo a'r pentref. Y tu hwnt i Ben-llwch, yn y gorllewin, gallai weld ymhell tua'r mynyddoedd. Dyfalodd mai Cadair Idris oedd y mynydd uchaf a welai, a gwyddai fod y môr rywle yn y pellter eithaf y tu hwnt i'r tir gwineulwyd.

Er gwaethaf moelni'r olygfa, roedd yn braf bod i ffwrdd o brysurdeb Aberystwyth am rai nosweithiau. Trodd wedyn at y llun a grogai uwchben ei wely. Os oedd y llun hwnnw mewn gwirionedd yn waith nith Aeres Vaughan, roedd yn amlwg i Cai mai efelychiad ydoedd. Roedd Catrin wedi ceisio dynwared arddull ei modryb, gan ddefnyddio'r un technegau a'r un paent. Ond os felly, ni allai Cai lai nag edmygu ei dawn. Roedd Aeres Vaughan yn llygad ei lle. I bob golwg, byddai ei nith wedi cael gyrfa lwyddiannus.

Roedd Esell eisoes wrthi'n paratoi brecwast. Paratôdd Cai y coffi a bwytaodd y ddau gyda'i gilydd.

'Mae Miss Vaughan wedi gofyn imi ddangos ichi'r stafell gefn,' dywedodd Esell ar ôl gorffen ei bryd. Cododd a thywysodd Cai drwy'r cyntedd a thrwy ddrws arall i goridor oer yng nghefn yr adeilad. Aeth drwy ddrws arall a dod i ystafell eang.

'Dyma lle'r oedd y stordy gynt. Ond stordy yw hi nawr hefyd, i bob diben.'

Roedd yr ystafell yn llawn lluniau. Cynfasau mawr a mân, o bob maint a lliw, wedi eu stacio'n rhesi yn erbyn y waliau. Ym mhen draw'r ystafell safai îsl uchel yn dal cynfas mawr ac arno lun ar ei hanner. Adnabyddodd Cai yr hanner golygfa fel yr un a welsai'r bore hwnnw drwy ffenest ei ystafell wely. Roedd bwrdd mawr wrth ymyl y llun ac arno bentyrrau di-ri o diwbiau paent a brwsys a chadachau llwydion.

'Ble hoffech chi ddechrau?' gofynnodd Esell.

Gwenodd Cai arno'n goeglyd. Roedd digon o waith yma i gadw haid o glercod y Llyfrgell Genedlaethol yn brysur am fis.

'Dwi am ddechre yn y cyntedd, os yw hynny'n iawn. Mi fyse'n syniad da imi wneud nodyn o'r llunie sy mewn ffrâm yn gynta, cyn troi at y stafell yma.'

'Fel y mynnwch. Gyda llaw, mae gen i ofn nad oes cyswllt â'r we gynnon ni. Fel arall, rhowch wybod os bydd angen rhywbeth arnoch chi.'

Diolchodd Cai iddo, ac aeth i ymofyn ei laptop o'i ystafell. Agorodd ddogfen newydd ac ysgrifennodd ddisgrifiad cryno o gynllun y tŷ. Atgoffodd ei hun nad oedd sicrwydd i ble byddai'r holl luniau'n mynd maes o law, pan fyddai Aeres Vaughan farw. Roedd wedi darllen digon am hanes casgliadau preifat a chwalwyd i'r pedwar gwynt ar farwolaeth yr artist, a'r holl drafferth a geid wedyn wrth geisio dod o hyd i'r holl ddeunydd mewn casgliadau eraill ar hyd a lled y wlad, os nad y byd. Roedd yn hanfodol ei fod yn cofnodi enw pob llun, os ceid un, ynghyd â'i leoliad yn y tŷ.

Gweithiodd ei ffordd yn bwyllog drwy'r cyntedd, gan fynd o lun i lun yn nodi'r manylion ar ddarn o bapur cyn trosglwyddo'r wybodaeth yn llawn, ryw bum llun ar y tro, i gof y laptop. Tynnodd luniau cyffredinol o'r ystafell ar ei ffôn. Oedai bob hyn a hyn er mwyn gwerthfawrogi'r hyn a oedd o'i flaen. Dyfalai nad oedd mwy na dyrnaid o bobl wedi gweld rhai o'r lluniau erioed. Adnabyddodd un ohonynt – mynydd llwm a llyn oddi tano – fel brawd mawr i un o'r brasluniau roedd Aeres Vaughan wedi eu hanfon at John Earnest. Daeth o hyd i fanylion y braslun ar ei laptop: 'i JE. AF yn antidote i'r wynebau arferol. AV.' Sylweddolodd mai llun o'r Aran Fawddwy ydoedd. Roedd Aeres Vaughan yn awgrymu y dylai John Earnest roi tro ar greu tirluniau yn lle'r holl bortreadau, fel y gwnaethai hi. Nododd y cyswllt ar y ddogfen.

Roedd dyddiad ar rai o'r lluniau, ond doedd dim dal i ba gyfnod yng ngyrfa Aeres Vaughan yr oedd nifer ohonynt yn perthyn. Crogai tirluniau o'r saithdegau ochr yn ochr â thirluniau o'r nawdegau, ac amrywiai'r arddull o lun i lun yn yr un modd. Synhwyrodd o dipyn i beth fod y tirluniau mwyaf diweddar yn dilyn rhyw batrwm bras ac yn adleisio ei gilydd. Mynydd neu fryn mawreddog yn y cefndir, a'r awyr yn drwm gan gymylau drycin, ac unigolion yn y blaendir yn edrych yn fach iawn mewn cymhariaeth â'r dirwedd.

Erbyn iddo gyrraedd y lluniau ar waliau'r grisiau, roedd Cai yn sicr mai efelychiadau, o fath, oedd y lluniau diweddar hynny. Roeddynt yn dwyn i'w gof luniau clasurol rhai o'r artistiaid a fu'n crwydro Cymru o'r ddeunawfed ganrif ymlaen, dynion fel Thomas Jones a Richard Wilson, yn cloddio'r tirlun am eu hysbrydoliaeth. Nid oedd lluniau Aeres Vaughan lawer yn llai dramatig na'u lluniau eiconig nhw, ond yn lle gosod rhyw fardd rhamantaidd neu deithwyr annelwig yn wrthbwynt i rym y tir, ceid yn ei lluniau hi bobl yr ugeinfed ganrif. Cerddwyr mynydd yn eu cotiau glaw amryliw, ffermwyr ar eu *quad bikes*, twristiaid â'u mapiau yn eu dwylo. Roedd Aeres Vaughan yn efelychu ac yn herfeiddio ar yr un pryd.

Gweithiodd yn ddiddig drwy'r bore, gan gyrraedd pen draw'r coridor y tu allan i'w ystafell wely am hanner dydd. Aeth i mewn i'w ystafell ac eisteddodd ar y carped. Edrychodd i fyny at y llun o'r ferch â'i llygaid at y llawr. Pwy oedd y ferch hon mewn gwirionedd? Agorodd ddogfen newydd ar ei laptop a dechreuodd gofnodi'r manylion. Wrth godi ei ben o dro i dro, dychmygai fod y ferch wedi codi ei phen a'i llygaid yn edrych arno'n ddirgel.

Aeth i lawr i'r gegin ymhen ychydig, a gwnaeth goffi iddo'i hun a thamaid i'w fwyta. Golchodd ei lestri yn y sinc a'u sychu, ac aeth o'r gegin i'r cyntedd ac ymlaen tua'r ystafell gefn. Roedd y drws fymryn ar agor, ac aeth i mewn yn betrus.

'Tyrd i mewn, Cai.'

Yn y gornel bellaf, roedd Aeres Vaughan yn paentio.

'Ddrwg gen i dorri ar draws ...'

'Paid â phoeni dim – mae hen ddigon o le inni'n dau,' dywedodd heb droi ei phen.

Safai Aeres Vaughan mewn ffedog fudr o flaen yr îsl ac arno gynfas mawr ym mhen draw'r ystafell, gyda brws mewn un llaw a phaled yn y llaw arall. Craffai'n fanwl drwy ei sbectol ar ddarn o'r llun wrth iddi ddodi'r paent ar y cynfas.

'Llun o Ben-llwch?' gofynnodd Cai.

'Dydi o'n beth rhyfedd?' atebodd Aeres Vaughan gan droi i'w wynebu. 'Dwi wedi syllu ar yr un olygfa bob dydd ers blynyddoedd, yr union olygfa sy o dan fy nhrwyn i, ond dim ond yn ddiweddar rydw i wedi meddwl am baentio'r peth.'

Rhoes ei brws a'i phaled i lawr a thynnodd ei sbectol.

'Ro'n i wedi disgwyl dy weld di yma'r bore 'ma, ond soniodd Peter dy fod ti am ddechrau gyda'r lluniau yn y cyntedd. Sut hwyl wyt ti'n gael arni?'

'Arbennig. Dwi wedi dod i ben â'r gwaith yna am y tro. Ro'n i wedi meddwl dechrau ar y lluniau sy fan hyn, ond os ydech chi'n brysur ...'

'Twt. Fe ddangosa i iti be sy 'ma, o be gofia i.'

Tywysodd Cai drwy'r ystafell o wal i wal. Roedd y rhan fwyaf o'r cynfasau a bwysai yn erbyn y waliau'n rhai rhydd a heb eu fframio, ac nid oedd yn bosib cael golwg dda ar lawer ohonynt heb symud y lluniau o'u blaen. Roedd y lluniau yn y cefn yn amhosib eu gweld yn iawn heb symud y lleill i gyd.

Lluniau tebyg i'r rhai a oedd i'w gweld yng ngweddill y tŷ oedd y rhan fwyaf ohonynt, ond roedd yno hefyd yn eu plith nifer o bortreadau cynnar. Esboniodd Aeres Vaughan fod y rhan fwyaf o'i phortreadau wedi eu gwerthu yn Llundain neu eu prynu gan gasglwyr preifat, ac nid oedd wedi trafferthu dod â llawer ohonynt gyda hi pan adawsai'r ddinas. Daeth o hyd i ddau lun o'i nith ymysg y tirluniau. Roeddynt yn dangos y ferch mewn osgo wahanol i'r lluniau roedd Cai wedi eu gweld eisoes. Chwarddai mewn un llun, dawnsiai mewn un arall. Roedd y rhan fwyaf o'r lluniau'n anorffenedig, a doedd yr un wedi ei fframio. Soniodd Aeres Vaughan yn hoffus am yr hafau a dreuliodd ar ymweliad â'i chartref yn Ninbych, pan ddôi Catrin i aros a phan fyddai'r ddwy'n treulio oriau'n arlunio hyd nes yr âi'r haul i lawr. Ond nid oedai'n rhy hir gyda'r hanesion hynny cyn symud ymlaen at lun arall.

Ymhen ychydig tynnodd Aeres Vaughan sylw Cai at bentwr o luniau ym mhen draw'r ystafell.

'Draw fan hyn,' dywedodd, 'mae lluniau Catrin.'

Syllodd Cai mewn syndod ar y llun a oedd yn y golwg ar flaen y rhes. Dŵr môr. Fe'i hatgoffwyd yn syth o'r llun o'r môr yn Aberystwyth yr oedd wedi cytuno'n anfoddog i'w arddangos yn yr Ysgol Gelf ar ddechrau'r tymor. Dim ond dŵr môr llwyd, a rhimyn o dir yn y pellter. Roedd y lliwiau ryw fymryn yn wahanol, efallai, ond roedd y tebygrwydd yn rhyfedd o nodedig.

Symudodd y llun i'r naill ochr i gael golwg ar y nesaf y tu ôl iddo. Portread o ferch – hunanbortread arall yn ôl pob golwg, ynteu ai llun o Aeres Vaughan ydoedd? Roedd y dechneg yn llai sicr yn y llun hwn, a thybiodd Cai ei fod yn perthyn i gyfnod cynnar iawn. Edrychodd drwy rai o'r lluniau eraill, dau neu dri phortread ac ambell dirlun tywyll.

'Fel y gweli di,' dywedodd Aeres Vaughan, 'roedd hi'n artist hyderus iawn.'

Cytunodd Cai.

'Be oedd ei hoed hi pan baentiodd hi'r rhain?'

'Mae'n amrywio. Dwi'n meddwl iddi ddechrau gwneud brasluniau pan oedd hi'n bymtheg, a dechrau paentio'n fuan wedyn. Mae lluniau fan hyn, mae'n siŵr, o'r arddegau 'mlaen.'

Syllodd Cai ar y lluniau a chyfaddef wrtho'i hun y byddai'n sicr yn werth cofnodi'r hyn roedd nith Aeres Vaughan wedi ei gynhyrchu yn yr ychydig amser a gawsai i wneud hynny. Roedd hi'n artist yn ei hawl ei hun, sylweddolodd, ac yn haeddu cael ei hystyried o ddifrif. Gobeithiai ar yr un pryd na fyddai hynny'n mynd â gormod o'i amser.

Aeth yn ôl at ei laptop a'i nodiadau, a dychwelodd Aeres Vaughan at ei llun.

Gweithiodd y ddau mewn distawrwydd drwy'r prynhawn, y naill yn gweithio'i ffordd yn systematig drwy'r ystafell, gan symud pob llun yn ei dro er mwyn datgelu'r nesaf y tu ôl iddo ac ailosod y pentwr cyn symud ymlaen, a'r llall yn datgelu mwy a mwy o'r olygfa ar y cynfas wrth i'r oriau fynd heibio. Erbyn tri o'r gloch roedd Cai wedi cofnodi'n agos at draean o'r holl luniau yn yr ystafell.

Rhoes Aeres Vaughan ei brws i lawr, a bu'r ddau wrthi'n trafod am ychydig rai o'r lluniau roedd Cai wedi eu catalogio. Sylwodd Cai'n raddol fod Aeres Vaughan yn cyfeirio'n awr ac yn y man at waith ei nith, er nad oedd Cai wedi troi at ei lluniau hi eto. Ond pan holai Cai ragor am ei chefndir, synhwyrai fod Aeres Vaughan yn gyndyn o ddatgelu llawer amdani. Ar ôl blynyddoedd o led-adnabod prif wrthrych ei draethawd ymchwil, teimlai o'r diwedd ei fod wedi dechrau dod i'w hadnabod, ond wrth i'r drws hwnnw agor roedd wedi dod o hyd i ddrws arall caeedig y tu ôl iddo. Cafodd Cai atebion i rai o'i gwestiynau, serch hynny, a bu'n rhaid iddo fodloni ar lenwi ambell fwlch yn ei restr o ddyddiadau a rhoi enw i ambell wyneb anhysbys.

Daeth Esell i mewn am bedwar a chynnig gwneud diod iddynt.

'Dim diolch,' atebodd Cai, 'ro'n i wedi meddwl mynd am dro neu i redeg, os yw'r tywydd yn caniatáu. Mae'r llygaid yn dechre blino.'

Esgusododd ei hun ac aeth i'w ystafell i newid. Cymerodd gip drwy'r ffenest a gwelodd ei bod hi'n sych o hyd, felly gwisgodd ei ddillad a'i esgidiau rhedeg ac aeth i lawr i'r gegin.

Gofynnodd i Esell am lwybrau posib o gwmpas y plas. Doedd dim i'w cael, esboniodd Esell, heblaw am un llwybr troed digon bawaidd a oedd yn dechrau yn y pentref ac yn dod i ben yn y coed ar ochr chwith y tŷ. Penderfynodd Cai ddilyn ei drwyn i lawr yr heol i'r brif lôn.

# 23

Roedd Ffion yn hepian cysgu ar ei gwely pan glywodd sŵn lleisiau yn y stryd. Cododd ac aeth at y ffenest i fusnesa.

Roedd Mrs Evans wrth y drws. Safai tad Ffion ar y rhiniog yn ei gwahodd i mewn, ond oedai Mrs Evans yno'n aros i Elan groesi'r lôn o'r tŷ gyferbyn. Teimlodd Ffion ei chydwybod yn pigo. Roedd hi wedi dyfeisio dwy stori amdani'n mynd gyda ffrindiau i'r sinema yn Aber ac i barti yn nhŷ criw o fechgyn, ac wedi ymarfer eu hadrodd yn argyhoeddiadol ar ei phen ei hun. Doedd yn fawr o her, mewn gwirionedd, gan fod Ffion wedi gweld y ffilm, er nad oedd neb arall gyda hi ar y pryd, ac wedi bod yn y parti hefyd am ryw awr. Ond gwyddai fod merched un ar ddeg oed yn sylwgar, felly roedd wedi gofalu dwyn i gof rai celwyddau penodol, rhag ofn.

Roedd ar fin mynd i lawr i'r gegin pan glywodd sŵn llais dieithr yn y lôn. Aeth yn ôl at y ffenest a gwelodd fod Mrs Evans, ei thad ac Elan yn siarad â dyn ifanc mewn dillad rhedeg. Roedd golwg dal arno, hyd yn oed o edrych i lawr tuag ato, a'i wallt yn dywyll. Pwysai ar ei bengliniau wrth geisio cael ei wynt ato.

Oedodd Ffion. Doedd dim llawer o awydd ganddi siarad â rhai o drigolion cleniaf y pentref, heb sôn am ddieithryn. Arhosodd am eiliad rhag ofn y byddai'n rhedeg yn ei flaen, ond clywodd lais ei thad yn ei galw. Aeth i lawr yn anfoddog.

'Edrych pwy sy wedi dod i dy weld di,' dywedodd ei thad.

'Helô Ffion,' meddai Elan dan wenu wrth ddod i mewn drwy'r drws.

'Sut wyt ti?' gofynnodd Ffion, gan orfodi ei hun i wenu.

'Pnawn da iti, Ffion,' dywedodd Mrs Evans o'r drws yn ei llais siriol arferol, ''den ni newydd fod i weld Mr Owen. Mi oedd o'n ffwndrus iawn heddiw, druan ag o. Beth bynnag, ro'n ni ar ein ffordd i'ch gweld chi'ch dau rŵan, a dyma ni'n gweld y lonciwr yma'n dod i'n cwarfod – Cai ydi'ch enw chi, ie? Dyna iti rywbeth 'den ni'm yn 'i weld yn aml ffor' hyn!' Chwarddodd Mrs Evans a thad Ffion, a daeth yr ymwelydd annisgwyl i sefyll yn y drws.

'Dwi ddim am darfu arnoch chi ...' dechreuodd.

'Mi oedd Cai'n esbonio rŵan,' aeth Mrs Evans yn ei blaen, 'ei fod o'n astudio celf yn y brifysgol yn Aber, a'i fod o wedi dod i ymweld â Miss Vaughan yn y plas. Cymro Cymraeg hefyd. Pwy fase 'di meddwl?'

'Tyd i mewn, Cai,' dywedodd tad Ffion, 'iti gael dy wynt atat a llymed o ddŵr, os lici di.'

Diolchodd Cai iddo a chau'r drws.

'Wyt ti'n aros yn y plas?'

'Ydw, dim ond am y penwythnos.'

'Sut mae Miss Vaughan?' gofynnodd Mrs Evans. 'Dyden ni'm yn ei gweld hi'n aml.' Os byth, meddyliodd Ffion.

'Mae hi'n dda iawn,' atebodd Cai wrth yfed ei ddŵr, 'ac yn groesawgar iawn.' Edrychodd y lleill ar ei gilydd. 'Dwi wedi cael mynediad, yn lwcus iawn, at ei llunie hi i gyd, a dwi wrthi'n gweithio drwyddyn nhw ar hyn o bryd.'

'Gneud ymchwil wyt ti?' gofynnodd tad Ffion.

'Ie, doethuriaeth.'

'Wyddwn i ddim ei bod hi'n dal i dynnu llun.'

'Na finne, a bod yn onest. Ma hi wrthi'n gweithio ar lun newydd ar hyn o bryd.'

Dechreuodd Cai ddweud rhywbeth, ond oedodd, fel pe bai wedi newid ei feddwl.

'Do'n i'm yn gwybod am ei nith hi chwaith,' dywedodd, 'Catrin, ie? Mi oedd hi'n artist hefyd, yn ôl Miss Vaughan.'

'Dwi'n cofio clywed sôn ei bod hi,' atebodd Mrs Evans yn gyfeillgar. 'Mi fuodd 'i cholli hi'n ergyd fawr i Miss Vaughan, druan.'

'Ma hi'n dal i feddwl y byd ohoni.' Gosododd Cai ei gwpan ar y bwrdd. 'A dweud y gwir, ma hi wedi dangos rhai o lunie Catrin imi. Ydych chi'n gwybod rhywbeth amdani? Yma ym Mhen-llwch oedd hi'n byw, ie?'

'Ie, am gyfnod,' atebodd Mrs Evans.

'Dwi'n deall ei bod hi 'di diodde rhyw salwch. Sut fuodd hi farw?'

Edrychodd Mrs Evans a thad Ffion ar ei gilydd, ac yna ar Elan.

''Wrach fyset ti Ffion yn gallu helpu Cai,' dywedodd ei thad. 'Ydech chi'n nabod ych gilydd? Mae Aber yn fwy na dwi'n feddwl, ma'n siŵr. Ewch i mewn i'r stafell ore, mi gewch chi lonydd fan'no.'

Gwgodd Ffion.

'Ac mi ga i hanes y steddfod gen ti, Elan,' dywedodd ei thad.

Aeth Ffion i mewn i'r ystafell nesaf ac aeth Cai ar ei hôl. Edrychodd y ddau ar ei gilydd yn chwithig am eiliad, y naill yn ei phajamas a'i hwdi a'r llall yn chwysu ar garped gorau'r tŷ. Cododd Cai ei ben yn sydyn.

'Ffion Jones wyt ti?' gofynnodd.

'Ie.'

'Wrth gwrs. Dwi'n cymryd gest ti'm o'n e-bost i?'

'Pa e-bost? Dydi'r we ddim rili'n gweithio fa'ma.'

'Dim ots. Ges i dy gyfeiriad e-bost di drwy un o

dy ddarlithwyr. Isie gofyn o'n i am y lle 'ma, cyn imi ddod lan ddoe.'

Edrychodd Ffion arno fel pe bai wedi colli ei bwyll.

'Does 'na'm lot i'w ddeud. Ma'r lle 'ma'n marw ar 'i draed.'

'Dim mwy na lot o lefydd, debyg.'

Syrthiodd tawelwch chwithig ar yr ystafell.

'Ta beth,' dywedodd Cai, 'wyt ti'n gwbod rhywbeth am nith Aeres Vaughan?'

'Dim ond ei bod hi wedi marw flynyddoedd 'nôl.'

'Ac wedi'i chladdu yn y fynwent lawr y stryd?'

'Ie.' Gwyddai Ffion yn union ble roedd y garreg fedd. Byddai'n mynd heibio iddi bob tro yr âi yno i roi blodau ar fedd ei mam.

'Bioleg wyt ti'n astudio, ie?'

'Ie.'

'Wyt ti'n gwybod rhywbeth am sut fuodd hi farw, pa afiechyd?'

'Dim byd fel yna. Wel, doedd 'na'm byd yn bod ar ei chorff hi. Yn 'i meddwl hi oedd y drwg. Lladd 'i hun ddaru hi.'

'Lladd 'i hun?' ailadroddodd Cai yn reddfol.

'Ie.'

Oedodd Cai, ac edrych yn ôl i gyfeiriad y gegin. Gallai weld amlinelliad annelwig tad Ffion a'r ddwy arall drwy wydr barugog y drws. Roedd yn dechrau deall pam roedd Aeres Vaughan wedi dychwelyd i

Gymru yn 1973, a gadael ei bywyd yn Llundain gan dorri cyswllt â'r byd.

'Sut?'

Edrychai Ffion fel pe bai'n gyndyn o ateb.

'Mi oedd 'na bob math o straeon o gwmpas pan o'n i'n fach, pethe oedd plant yn ddeud i godi ofn ar 'i gilydd. Ond ma'n debyg mai crogi'i hun ddaru hi. Yn y coed acw.' Pwyntiodd Ffion allan drwy'r ffenest at fforest binwydd fawr dywyll yn agos at y gorwel rhwng y caeau a'r mynyddoedd. 'Wel, dydi'r goeden ddim yno rŵan, am wn i. Ma'r Comisiwn yn 'u torri nhw bob hyn a hyn o flynyddoedd.'

Daeth wyneb y ferch yn y lluniau i feddwl Cai. Roedd rhyw ddwyster yn perthyn iddi mewn ambell lun, a hithau'n edrych tua'r llawr, ond roedd wastad wedi meddwl mai ffasiwn lluniau'r cyfnod oedd yn gyfrifol am hynny. Roedd y lluniau eraill ohoni a welsai'r prynhawn hwnnw, ar y llaw arall, yn darlunio merch ddigon hapus ac iach. Daeth i'w gof wyneb y ferch yn y ffrog goch, ei llygaid enigmatig yn syllu arno fel pe baent yn ei rybuddio i gadw draw.

'Pam fydde hi wedi …'

'Do'dd hi'm o ffor' hyn,' torrodd Ffion ar ei draws, gan ddechrau sylweddoli fod yr hyn a oedd ganddi i'w ddweud o bwys i'r dyn ifanc tal. 'Glywish i sôn mai un o blant Tryweryn oedd hi. Un o'r rhai gafodd 'u symud i greu'r llyn. Ddudon nhw fod hynny 'di ca'l rw effaith arni.'

Gwelodd fod Cai yn gwrando arni'n astud.

'Ddaru hi a'i thad symud i fa'ma i fyw wedyn. Ond fuodd 'i thad hi farw'n fuan ar ôl iddyn nhw ddod yma. Ma'i bedd hi drws nesa i'w fedd o yn y fynwent. Dyna ddaru droi'i phen hi, debyg.'

Syllodd Cai ar y carped o dan ei draed. Doedd dim syndod fod Aeres Vaughan yn teimlo'n euog, meddyliodd. Roedd y ferch wedi ei symud o gartref ei phlentyndod ac wedi colli ei thad, yr unig berthynas agos a oedd ar ôl ganddi yng Nghymru, a hithau ond yn ei harddegau. A doedd ei modryb ddim yno pan oedd arni ei hangen fwyaf.

'Pam wyt tisio gwbod cymaint amdani?'

Cyn i Cai fedru ateb, agorodd tad Ffion y drws.

'Ydech chi'ch dau am baned? 'Den ni'n tri am gael.'

'Dim diolch,' atebodd Cai, ''se'n well imi gario 'mlaen cyn iddi nosi. Diolch, Ffion, am yr hanes.'

Cyn iddo ddilyn tad Ffion drwy'r drws, trodd Cai yn ôl ati am eiliad.

'Ble'n Aber wyt ti'n byw?'

Edrychodd Ffion arno'n rhyfedd. Roedd hi ar fin rhoi cyfeiriad ffug iddo, ond penderfynodd na fyddai'n ddrwg o beth iddi rannu ei chyfeiriad go iawn yn Aber â rhywun ar wahân i'r bobl oedd yn byw ym Mhen-llwch.

'Stryd y Popty,' atebodd, 'Egerton House.'

# 24

Ganllath i lawr y lôn i gyfeiriad Brithdir roedd camfa yn y gwrych yn arwain at lwybr drwy'r caeau. Cododd ambell ddafad ei phen a syllu arno'n fud wrth iddo redeg heibio.

Dilynodd y trywydd drwy bum cae cyn iddo droi'n annisgwyl tua'r coed, lle diflannai'r llwybr ar brydiau rhwng y boncyffion helyg a derw. Daeth i groesfan ymhen ychydig, lle anelai'r naill lwybr tua'r bryniau a'r fforest a welsai o dŷ Ffion, tra âi'r llall drwy'r goedwig i gyfeiriad y plas. Oedodd am eiliad, ac edrychodd i fyny tua'r fforest. Roedd yr hyn a glywsai ryw hanner awr ynghynt yn troi a throsi yn ei feddwl. Dychmygodd weld Catrin yn ymlwybro'n araf i grombil du'r coed bythwyrdd fel drychiolaeth â chwe llath o raff yn ei llaw. Teimlodd gryd yn cerdded ei gorff, a throdd ei olygon yn ôl tua'r plas. Roedd y dydd yn tywyllu'n gyflym a dewisodd ddychwelyd i'w lety, gan ddilyn ochr y bryn gyda'r pentref draw i'r chwith yn diflannu'n araf yn y gwyll.

Tynnodd ei esgidiau lleidiog wrth y drws ochr, a'u glanhau wrth dap dŵr ar y wal. Aeth yn syth i'r gawod.

Yn y man, aeth i lawr i'r gegin. Roedd Esell wrthi'n paratoi bwyd, a bu'r ddau'n siarad am ychydig cyn i Cai ddweud yr hoffai fwrw ymlaen â'r gwaith cyn swper. Roedd mynd i redeg wedi ei fywiogi drwyddo, dywedodd. Yfodd wydraid o ddŵr ar ei dalcen ac aeth drwodd i'r ystafell gefn.

Roedd yr ystafell yn dywyll pan agorodd Cai y drws, ac ymddangosai fod Aeres Vaughan wedi rhoi'r gorau i baentio am y dydd. Roedd yr olygfa bron yn gyflawn bellach, ond gwyddai Cai fod llawer o waith ar ôl i'w wneud wrth adeiladu haenau o ddyfnder a pherffeithio union siâp y dirwedd.

Agorodd ei laptop ac aeth yn syth at luniau Catrin ym mhen draw'r ystafell. Ar ôl agor dogfen newydd ar y sgrin, dechreuodd gofnodi manylion y llun cyntaf a welsai'n gynharach ar flaen y pentwr. Y llun o ddŵr y môr. Ond nid oedd mor sicr bellach ai'r môr a welai. Archwiliodd ymylon y llun a chefn y cynfas, ond ni ddaeth o hyd i ddim ond y llythrennau CH. Edrychodd eto ar ddyfroedd llwyd y dŵr. Roedd dyfnder islaw'r tonnau, ond nid dyfnder glaslwyd y môr ydoedd. Meddyliodd eto am yr hyn roedd Ffion wedi ei ddweud. Roedd bron yn siŵr ei fod yn edrych ar lyn.

Aeth at y llun nesaf, y llun o ferch nad oedd yn sicr ai hunanbortread ydoedd neu lun o Aeres Vaughan, a mynd ati fel o'r blaen i archwilio'r ymylon a chefn y cynfas. Roedd dyddiad arno'r tro hwn, y tu ôl ar waelod ochr dde'r cynfas, y flwyddyn 1968. Ar ôl y rhifau roedd enw'r artist wedi ei ysgrifennu'n llawn mewn llawysgrifen gain. Catrin Hywel.

Aeth ymlaen at y llun nesaf a'r llun wedyn. Cofnododd gymaint ag y gallai am bob un yn ei dro, ei faint yn fras, trwch a safon y cynfas ac unrhyw ysgrifen y gallai ddod o hyd iddi, yn ogystal â'r math o baent a ddefnyddiwyd a disgrifiad manwl o'r llun ei hun. Roedd ar fin troi at y pumed llun pan glywodd gnoc ar y drws. Daeth Esell i mewn i'w wahodd i swper. Oedodd am eiliad pan welodd fod Cai yn eistedd o flaen y pentwr lluniau ym mhen draw'r ystafell, cyn troi a chau'r drws ar ei ôl. Rhoes Cai y llun diweddaraf i lawr, ac aeth i olchi ei ddwylo.

Roedd Esell ac Aeres Vaughan yn aros amdano yn yr ystafell orau. Erbyn hyn roedd Cai yn awchu am fwyd a chafodd flas da ar yr arlwy. Gofynnodd Aeres Vaughan iddo sut hwyl a gafodd wrth redeg, ac atebodd Cai dan wenu ei fod wedi blino'n lân, a rhoi'r bai ar awyr y mynydd. Cyfeiriodd wrth fynd heibio at y trigolion a welsai yn y pentref. Penderfynodd beidio â sôn iddo glywed gan un ohonynt fwy am hanes Catrin Hywel, dim ond nodi ei fod wedi dechrau cofnodi manylion y pentwr lluniau ym mhen draw'r ystafell gefn. Ychydig o ymateb a gafodd, a throdd y sgwrs i gyfeiriad arall.

'Pryd oedd y tro diwethaf iti arlunio, Cai?' gofynnodd Aeres Vaughan dros bwdin afalau.

'Dwi'm yn siŵr – ryw flwyddyn yn ôl, falle.'

'Dim byd ers hynny?'

'Dim ond rhyw bethe bras, dim byd gorffenedig.'

'Fe ddwedes i neithiwr 'mod i'n meddwl fod gen ti ddawn,' dywedodd Aeres Vaughan gan droi tuag ato, 'ac rwy'n dal at hynny. Bydde'n drueni iti roi'r gorau iddi.'

Cytunodd Cai, ond y tu mewn roedd yn gwingo. Peth hawdd i un o baentwyr portreadau gorau'r wlad oedd canu clodydd artist ifanc ansicr nad oedd ganddo obaith o gyrraedd yr un entrychion. Fe fu hi'n ddigon lwcus i gael ei chydnabod, am gyfnod, gan rai o fawrion y byd celf. Cawsai yntau ei gyfle hefyd, ond dewisodd ddilyn llwybr arall.

'Diolch ichi am ddweud,' atebodd, 'ond mae'r amser wedi mynd ...'

'Twt. Dydi'r amser byth yn mynd, dim ond testun sy 'i angen arnat ti.'

Yfodd Cai ei win. Er na fynnai gyfaddef y peth, roedd yr holl waith archwilio lluniau – cael bod mor agos at wyneb y cynfas ac arogli'r paent – wedi deffro rhyw hen awydd ynddo i ailafael ynddi. Ond fe wyddai ar yr un pryd y byddai'n gorfod rhoi'r rhan fwyaf o'i amser dros y blynyddoedd nesaf i'r gwaith ymchwil.

'Wn i ddim eto a fydda i'n aros noson arall,' dywedodd, 'mae digon o waith y galla i wneud yn Aber gyda'r hyn dwi wedi'i wneud heddiw. Ond hoffwn i ddod yn ôl yn fuan, os ca i, i gwblhau'r gwaith catalogio.'

'Wrth reswm,' atebodd Aeres Vaughan. 'Rho wybod i Peter pan fyddi di'n barod.'

Roedd Cai yn awyddus i ddychwelyd at ei waith, ac esgusododd ei hun yn gynnar. Aeth â'i wydr gwin gydag e i'r ystafell gefn, a gweithiodd yn ddiwyd am rai oriau. Cofnododd fanylion dwsin o luniau eraill gan Catrin Hywel, ac fe daniai ei ddiddordeb ynddi fwyfwy â phob cynfas.

Roedd wedi troi naw o'r gloch pan gyrhaeddodd y cynfasau mawrion a oedd yn pwyso yn erbyn y wal yng nghefn y pentwr. Tynnwyd ei sylw gan y mwyaf o'r lluniau, nad oedd ond ei ymylon yn y golwg. Gwelai fod Catrin wedi llwytho'r paent ar y cynfas hwnnw'n fwy trwchus nag yn yr un o'r lluniau eraill. Symudodd gynifer ag y gallai o'r lluniau a oedd yn pwyso yn ei erbyn i'r naill ochr, a daeth y rhan fwyaf o'r darlun i'r golwg. Cynfas eang ydoedd ac arno lun trawiadol o gapel dan awyr ddu. Roedd ôl cryn dipyn o draul ar y cynfas a'r paent wedi breuo ar hyd yr ymylon, ond roedd yr effaith yn drawiadol o hyd. Symudodd gynfas arall fel y gallai weld gwaelod y llun. Oedodd a chymerodd gam yn ôl.

Gwelai ddyn yn torri bedd, ei ddwylo mawr yn gweithio'r rhaw, ei gefn yn grwm a chap ffarmwr yn gorchuddio ei lygaid ynghyd â'r rhan fwyaf o'i wyneb. Wrth ei ymyl ar lawr gorweddai corff gwelw.

Roedd yr holl lun yn nodedig o wahanol i bob

dim arall a welsai yn yr ystafell. Roedd y dechneg yn fwriadol amrwd, pob rhan o gorff y dyn wedi eu symleiddio'n flociau o liw a'r capel yn y cefndir yn gasgliad o linellau anhrefnus.

'Ei thad hi.'

Clywodd lais Aeres Vaughan yn dod o gyfeiriad y drws. Trodd Cai yn ei unfan. Safai'r hen ddynes yno yn yr hanner tywyllwch yn ei gŵn nos blodeuog.

'Fuodd o farw dair blynedd ar ôl iddo fo a Catrin symud i Ben-llwch. Roedd o'n llawer hŷn na fy chwaer i pan briodon nhw, a doedd o erioed yn ddyn iach. Roedd Catrin yn yr angladd. Doeddwn i ddim. Fe ges i fy nal yn Llundain mewn rhyw ddigwyddiad na fedra i gofio dim amdano bellach. Y capel yn y cefndir – capel Pen-llwch ydi o.'

Syllodd Cai yn ôl ar y llun. Tybiai wrth wrando llais prudd Aeres Vaughan y gallai deimlo rhywfaint o'r galar a'i creodd.

'Enillodd hi ryw wobr gyda'r llun yna, dwi'n meddwl,' dywedodd Aeres Vaughan. 'Dyna pam ei fod o mewn cyflwr gwaeth na'r lleill – wedi'i gario fan hyn a fan draw.'

Trodd fel pe bai am fynd, ond oedodd yn y drws.

'Mae'n golygu llawer i mi,' dywedodd, 'dy fod ti 'di cytuno i wneud hyn. Fe gysgais i'n ddedwyddach neithiwr nag ydw i 'di gwneud ers blynyddoedd. Fe gysga i'n well heno. Nos da, Cai.'

'Nos da, Aeres.'

# 25

Canodd larwm y ffôn am saith. Cododd Cai o'i wely ac agorodd y llenni. Roedd yn fore llwyd arall ac eithrio bod ambell lygedyn sgleiniog o heulwen yn goleuo wyneb gwlyb y tir yn y pellter. Ymolchodd a gwisgodd amdano, ac aeth yn syth i'r gegin.

Doedd Esell ddim yno. Gwnaeth Cai ddiod o goffi iddo'i hun ac aeth yn syth i'r ystafell gefn gyda'i laptop o dan ei gesail. Roedd yr ystafell yn oer, ac ychydig o oleuni a ddôi i mewn drwy'r unig ffenest. Taflai'r bwlb a grogai o'r nenfwd ryw gymaint o olau pŵl ar y pentyrrau lluniau.

Aeth Cai yn syth at luniau Catrin ym mhen draw'r ystafell. Symudodd o'r neilltu'r lluniau yr oedd eisoes wedi eu catalogio, ac aeth ati i gofnodi manylion y rhai a oedd ar ôl. Gweithiodd am rai oriau wrth olau sgrin ei laptop.

Lluniau digon cyffredin oedd nifer ohonynt, er bod eu crefft bron bob tro'n aeddfed. Tybiai fod rhai yn ymarferion paentio, ac eraill yn efelychiadau o rai o bortreadau Aeres Vaughan a welsai'r diwrnod cynt ymhlith y tirluniau ar ochr arall yr ystafell. Ond roedd hanner dwsin o luniau yng nghefn y pentwr yn wahanol i'r lleill, ac yn llawer tebycach o ran eu hansawdd i'r llun a welsai'r noson gynt o'r gŵr yn torri bedd ym mynwent y pentref.

Lluniau tywyll oedd y rhain i gyd, a'r paent

trwchus yn gorchuddio'r cynfas mewn haenau tonnog. Tybiai fod rhai ohonynt wedi eu creu mewn pwl gwyllt o greadigrwydd, a'r paent wedi ei lwytho ar y cynfas a'i droi a'i ystumio fel cyflaith. Paent olew a ddefnyddid gan amlaf a phaent acrylig mewn un neu ddau, a'r rheini'n dechrau plicio dan effaith oerni'r ystafell fel tir craciog mewn sychder maith.

Tirlun du a geid mewn dau o'r lluniau, heb fawr ddim i oleuo'r olygfa ond awgrym llwyd o betryal yn ei ganol. Cymharodd nhw â'r llun mawr a welsai'r noson gynt, a thybiodd fod y siapiau hynny'n cynrychioli rhyw fath o fedd agored. Roedd yn amlwg fod y lluniau eraill yn perthyn rywsut i'r darlun mawr, gan fod yr un unigolyn i'w weld ym mhob un ohonynt. Gŵr mewn dillad tywyll a chap am ei ben, weithiau â rhaw yn ei ddwylo a'i wyneb weithiau wedi ei orchuddio'n rhannol a thro arall wedi ei bardduo'n llwyr. Ond roedd un peth a osodai'r lluniau hyn i gyd ar wahân i'r darlun mawr, sef bod yr unigolyn tywyll ym mhob achos wedi ei ddarlunio ochr yn ochr â brân fawr ddu. Mewn ambell lun roedd y frân bron â llenwi'r llun cyfan ac yn fwy na'r unigolyn wrth ei hymyl. Mewn lluniau eraill fe safai ar ei ysgwydd neu ar ei fraich, a darn o fwyd yn ei phig loyw.

Cofnododd Cai fanylion pob un o'r lluniau'n ofalus, gan archwilio pob modfedd o'r cynfasau am unrhyw arwydd o ddyddiad neu lythrennau. Doedd dim i'w weld yn unman.

Cododd ymhen ychydig i ystwytho ei goesau. Aeth i bwyso yn erbyn wal gefn yr ystafell, yr unig wal nad oedd unrhyw luniau'n pwyso yn ei herbyn. Gwnaeth arolwg cyflym yn ei feddwl o'r gwaith yr oedd wedi ei gyflawni eisoes. Gwnaethai archwiliad o luniau'r cyntedd, y grisiau a'r coridor ar y llawr cyntaf, ynghyd â thua thraean o holl luniau Aeres Vaughan a gedwid yn yr ystafell lle safai. Gwnaethai hefyd archwiliad manwl o'r holl luniau o waith Catrin Hywel ym mhen draw'r ystafell. Roedd tua dau draean o luniau Aeres Vaughan ar ôl i'w catalogio.

Teimlai'n fodlon. Roedd ganddo fwy na digon o ddeunydd ar gyfer mwy nag un ddoethuriaeth, ac fe gâi rwydd hynt i ddewis ei drywydd ei hun dros y blynyddoedd nesaf. At hynny, pan âi ymchwilwyr eraill ati yn y dyfodol i astudio gwaith Aeres Vaughan, byddai'r dasg wedi ei hwyluso'n arw gan yr hyn yr oedd eisoes wedi ei gyflawni. Edrychai ymlaen at weld beirniaid celf y dyfodol yn cyfeirio at ei waith fel cynsail.

Edrychodd ar yr ystafell o un pen i'r llall. Fe gâi bleser yn aml wrth oedi ar ganol gwaith i daro llygad ar gyflwr y peth. Roedd dim ond edrych ar y pentyrrau lluniau'n rhoi iddo ryw ymdeimlad o fodlonrwydd, fel pe bai rhyw drefn anochel yn perthyn i'w ddull o weithio'n systematig drwy bob dogfen, pob llun, pob darn o dystiolaeth, gan werthuso'r cyfan ar y diwedd fel un cyfanwaith. Roedd llais bach yr ymchwilydd bodlon y tu mewn iddo'n canu grwndi. Roedd yr un llais yn dweud wrtho am ailedrych ar yr hyn a oedd o'i flaen, o hen arfer, dim ond i wneud yn siŵr ei fod wedi gwneud cyfrif o bob dim. Sganiodd ei lygaid o bentwr i bentwr. Wrth gyrraedd canol yr ystafell, synhwyrodd fod y llais bach yn ei ben yn dweud wrtho fod rhywbeth yno'n wahanol.

'Bore da, Cai. Hoffech chi damaid o frecwast?' Safai Esell yn y drws.

'Diolch,' atebodd, 'ddo i draw mewn munud, dim ond angen gorffen un cofnod arall.'

Gadawodd Esell.

Ceisiodd Cai ailafael yn ei feddyliau. Roedd rhywbeth wedi mynd â'i sylw draw yng nghanol yr ystafell. Chwiliodd amdano'n ofer am ychydig. Craffodd ar y lluniau o un i un, ond aethai'r trywydd yn oer. Roedd ar fin mynd i gau ei laptop pan sylwodd ar rywbeth annisgwyl. Roedd pob pentwr ond un yng nghanol yr ystafell yn pwyso'n erbyn y wal. Ond roedd un pentwr yn wahanol i'r lleill am fod bwlch rhwng y wal a'r llun olaf yng nghefn y pentwr. Roedd rhywbeth arall y tu ôl i'r llun olaf yn dal pwysau'r pentwr. Bwrdd, mae'n siŵr, meddyliodd, neu gelficyn arall tebyg.

Aeth at y pentwr lluniau a'u symud o'r neilltu fesul un. Daeth at y llun olaf a gwelodd y tu ôl iddo gabinet bychan pren a llwch yn drwchus ar ei hyd. Plygodd i lawr o'i flaen ac agorodd ddrws y cwpwrdd bychan. Y tu mewn roedd twr o bapurach wedi eu stwffio i'r cwpwrdd blith draphlith hyd yr ymylon. Tynnodd un darn o bapur allan o frig y pentwr ar hap, a'i ddarllen. Gwahoddiad i agoriad rhyw oriel yng Nghaerdydd. Rhoes y daflen yn ôl ar frig y pentwr a thynnodd ddarn arall allan. Llythyr ydoedd y tro hwn, ac adnabyddodd Cai y llawysgrifen yn syth fel un John Earnest. Darllenodd y paragraff cyntaf a rhyw fudr-gofio iddo ddarllen copi o'r un llythyr yn y Llyfrgell Genedlaethol. Syllodd ar weddill y papurau a theimlodd ei galon yn cyflymu. Tybed a oedd copi rywle yn y blerwch o'i flaen o'r llythyr coll yr oedd John Earnest wedi ei dderbyn gan Aeres Vaughan yn ôl yn 1979?

Oedodd am eiliad a throdd i edrych tua'r drws. Teimlai'n euog yn sydyn, fel pe bai'n twrio'n ddirgel drwy fin sbwriel. Doed a ddelo, penderfynodd y byddai'n rhaid iddo fynd drwy'r pentwr, rhag ofn. Ond gwyddai hefyd na fedrai ddechrau'r gwaith tan ar ôl iddo gael brecwast, rhag i Esell ddod i chwilio amdano.

Rhoes y llythyr yn ôl yn y cwpwrdd a chau'r drws, a llusgodd rai o'r lluniau yn ôl i'w lle o flaen y cabinet. Aeth tua'r gegin, ac arogl cryf cig moch yn ffrio yn dod i'w gwrdd.

# 26

Roedd Esell wrthi'n paratoi bwyd.

'Rwy am fynd â phaned at Miss Vaughan,' dywedodd. 'Mae hi am fynd am dro, ebe hi, gan fod y tywydd yn sych.'

Dywedodd Cai rywbeth am y lles y byddai'r awyr iach yn siŵr o'i wneud, ac esgusododd ei hun. Gwelodd ei gyfle. Aeth yn ôl i'r ystafell gefn gyda darn o dost yn ei law, gan ofalu cau'r drws i'r coridor o'r cyntedd a gadael drws yr ystafell ar agor, fel y gallai glywed pe dôi Esell yn agos.

Symudodd y lluniau i'r naill ochr yn ofalus a thynnodd lond ei freichiau o bapurach o'r cwpwrdd, sef tua hanner ei gynnwys. Rhoes y pentwr ar lawr ym mhen draw'r ystafell, lle roedd eisoes swp o bapur sgrap a hen ddarnau o gynfasau a ddefnyddid gan Aeres Vaughan wrth baentio. Rhoes y lluniau yn ôl yn eu lle eto i guddio'r cabinet. Aeth ati'n gyflym i ddidoli'r darnau papur, gan ganolbwyntio bron yn llwyr ar fesur gwerth pob dalen yn ei thro mewn cyn lleied o amser â phosib cyn symud ymlaen at y nesaf. Bil ffôn. Derbynneb. Hysbyseb am ddeunydd arlunio. Llythyr at Mr Tunnock. Llythyr gan John Earnest. Gosododd bob llythyr, ni waeth pwy a'i hysgrifennodd, mewn pentwr ar wahân. Cadwodd un rhan fach o'i ymennydd yn effro i unrhyw sŵn a ddôi o gyfeiriad y coridor.

Ymhen rhyw ugain munud roedd wedi cyrraedd y darn papur olaf. Cododd y pentwr o bapurau diwerth a'u cario'n ôl tua'r cabinet. Symudodd y lluniau eto a thynnu gweddill y papurach o'r cwpwrdd, gan roi'r pentwr diangen yn eu lle. Ar ôl rhoi popeth yn ôl yn ei le drachefn, dilynodd yr un drefn eto, gan oedi unwaith i glustfeinio am eiliad pan glywodd sŵn o gyfeiriad y drws. Esell oedd wrthi'n cario llestri, a hynny, fe ddyfalai, yn y cyntedd. Bwriodd ati eto, ei lygaid yn dechrau blino bellach ond ei allu i ganolbwyntio wedi ei gryfhau ryw fymryn gan natur ailadroddus y gwaith. Roedd ei synhwyrau'n effro i gyd. Adnabyddai ddeunydd diwerth yn llawer cyflymach erbyn hyn, ac felly hefyd o ran lliw a maint y gwahanol fathau o bapur a ddefnyddid ar gyfer y llythyron.

Ymhen chwarter awr arall roedd ganddo bentwr go dda o lythyron ar y llawr wrth ei ymyl. Symudodd y pentwr diangen i'r naill ochr a chymerodd gip manylach ar y llythyron. Gwyddai fod yno nifer o lythyron gan John Earnest, ymhlith nifer o bobl ddieithr ac eraill yr oedd wedi darllen eu henwau mewn llyfrau celf, ond dim ond dau lythyr yr oedd yn cofio eu gweld yn llaw Aeres Vaughan. Copïau oedd y rheini, mewn gwirionedd, o lythyron yr oedd hi wedi eu hanfon. Roedd yn amlwg ei bod yn arfer ganddi gadw copïau o'i llythyron ar un adeg, ond ei bod wedi rhoi'r gorau i'r arfer honno maes o law. Craffodd ar y ddau lythyr – dau lythyr papur pinc at John Earnest – ond buan y sylweddolodd mai copïau oeddynt o lythyron yr oedd eisoes wedi eu darllen yn Aberystwyth.

Edrychodd eto'n ddiegni drwy'r llythyron ar lawr, ond fe wyddai nad oedd y llythyr coll yno. Ochneidiodd yn dawel a chododd weddill y papurach i'w rhoi yn ôl yn y cabinet. Roedd ar fin eu stwffio yn ôl drwy ddrws y cwpwrdd pan welodd ymyl pad bychan o bapur pinc yng nghanol y pentwr. Tynnodd y pad allan yn ofalus a rhoi'r gweddill yn y cwpwrdd gyda'r pentwr llythyron diwerth. Gosododd y pad ar ben y cabinet a ffliciodd drwyddo.

Roedd wedi anwybyddu'r pad wrth ddidoli'r pentwr, gan dybio ei fod yn wag. O edrych eto, gwelodd fod Aeres Vaughan wedi ei ddefnyddio un tro i ysgrifennu llythyron, gan greu copi carbon o bob dalen ar ddalen arall oddi tanodd, heblaw bod yr ysgrifen ar y copi yn fwy aneglur. Roedd llawer o'r dalennau wedi eu rhwygo allan, ond roedd un gyfres gyflawn yn rhedeg o 1976 ymlaen. Ffliciodd yn gyflym i'r dalennau olaf. Roedd yr ysgrifen bron yn gwbl aneglur o ganol y dalennau i lawr, ond roedd gobaith darllen y dyddiadau ar y brig. Roedd y llythyr olaf ond un wedi ei ddyddio i Chwefror 1979, ond roedd yr olaf un wedi treulio bron yn llwyr.

Plygodd i lawr nes bod ei drwyn fodfeddi o'r papur. Fesul llythyren a rhif, darllenodd yn araf y mis – Medi – a'r flwyddyn – 1979. Dyddiad y llythyr coll.

Clywodd sŵn yn y cyntedd. Cododd ei ben yn sydyn ac edrychodd o'i amgylch ar y cabinet a'i gwpwrdd agored a'r lluniau yr oedd wedi eu symud o'r ffordd. Rhwygodd y ddalen olaf allan o'r pad bach pinc a'i phlygu'n ofalus cyn ei rhoi yn ei boced. Caeodd ddrws y cwpwrdd a symudodd y lluniau'n gyflym yn ôl i'w lle o flaen y cabinet. Pan gerddodd Esell i mewn roedd Cai yn sefyll yn ei gwrcwd yn syllu ar y llun ar flaen y pentwr.

'Mae'n ddrwg gen i darfu, Cai, ond ro'n i wedi meddwl gofyn ichi a fyddwch chi'n aros gyda ni eto heno.'

Cododd Cai a throi tuag ato.

'Wedi meddwl,' atebodd, 'bydde'n syniad da imi droi am adre heddiw. Ma digon alla i wneud yn Aber, a dwi'n siŵr fod yr e-byst yn dechre pentyrru erbyn hyn.'

'Wrth gwrs – fe ro i wybod i Miss Vaughan. Fe arhoswch chi i ginio?'

'Os yw hynny'n gyfleus. Diolch.'

# 27

Gadawodd Cai Blas Helygog ddechrau'r prynhawn. Cawsai ginio gydag Aeres Vaughan ac Esell, a chyfle i ddiolch iddynt am eu haelioni. Teimlai'r darn papur yn llosgi twll yn ei boced wrth iddo fwyta ei fwyd yn gwrtais frysiog. Dywedodd y byddai'n cysylltu ag Esell ymhen wythnos neu ddwy i drefnu ail ymweliad.

'Fe adawa i'r ystafell gefn fel ag y mae,' dywedodd Aeres Vaughan wrth ffarwelio ger y drws, 'rhag ofn tarfu ar drefn dy waith. A chofia, os cei di awr sbâr, am ailafael yn y braslunio. Ma cadw'r tân ynghyn yn haws na'i ailgynnau.'

Diolchodd Cai iddi a llwythodd ei fagiau i gist y car. Cododd ei law ar y ddau cyn cau'r drws a dilyn y lôn anwastad i lawr at y ffordd fawr. Gyrrodd drwy'r pentref, heibio'r tŷ â'r talcen gwyn lle cyfarfu â Ffion Jones, ac i lawr ryw filltir i Frithdir cyn arafu'r car ac oedi am ennyd ar ymyl y lôn. Tynnodd y darn papur o'i boced yn ofalus a'i osod rhwng dalennau llyfr ar y sedd wrth ei ymyl.

Teimlai'r daith yn ôl i Aber ddwywaith yn hwy na'r daith oddi yno. Diawliai Cai bob bws a char a falwodai ei ffordd ar hyd y lonydd culion drwy'r mynyddoedd i lawr i Fachynlleth, ac yna heibio dau neu dri o oleuadau gwaith ffordd ar y lôn drofaus tua'r môr. Pan gyrhaeddodd Aber o'r diwedd bu'n rhaid iddo barcio ei gar yn agos at y castell, gan mor orlawn oedd y strydoedd yng nghanol y dref, a cherdded i lawr i Chalybeate Street.

Taflodd ei fag ar lawr ei fflat ac aeth yn syth i eistedd wrth y bwrdd. Tynnodd y darn papur o'r llyfr a throdd lamp fechan ymlaen. Gyda chryn anhawster, llwyddodd i ddarllen yr ysgrifen denau ar frig y ddalen.

> Plas Helygog
> 28 Medi 1979
> F'annwyl John
> Gair byr, mewn gobaith eich bod yn iach. Daeth yr amser hwnnw o'r flwyddyn eto gyda difa'r haf, a diffyg cwsg i'w ganlyn. Bûm ar ddihun drwy'r nos neithiwr. Rwyf mewn gwewyr meddwl, ac wn i ddim i ble arall y gallaf droi. Bu'n fy mhoeni ers rhai blynyddoedd, rhyw ymdeimlad na allaf ei ysgwyd ymaith. Mae'n cnoi fy meddyliau, er gwaethaf popeth. A'r sicrwydd, drwy'r cyfan, mai fi oedd yn ei hadnabod hi orau, er gw

O ganol y ddalen i lawr roedd yr ysgrifen yn rhy aneglur i'w darllen. Ceisiodd Cai wneud popeth i ddod â'r geiriau i'r golwg – cododd y llythyr o flaen y lamp a'i droi'n ofalus i bob cyfeiriad, gan ystyried rhoi papur copïo drosto, hyd yn oed, a cheisio gwasgu'r geiriau i'r golwg, cyn sylweddoli nad oedd ganddo bapur o'r fath – ond doedd dim yn tycio.

Pwysodd yn ôl yn y gadair wedi ei drechu am y tro. Byddai'n rhaid disgwyl tan y bore, a rhoi tro arall arni yng ngolau dydd.

# 28

Nid oedd ond un neu ddau yn yr ystafell ddarllen. A hithau ond ychydig funudau ers i'r Llyfrgell Genedlaethol agor ei drysau, doedd dim golwg o'r staff, hyd yn oed, y tu ôl i'r brif ddesg. Eisteddodd Cai ac agorodd glawr ei laptop. Pan welodd fod un aelod o'r staff wrth y ddesg, aeth ati a gofynnodd a gâi ddefnyddio'r peiriant uwchfioled. Cafodd ei arwain i ystafell gul wrth ymyl y brif ystafell ac ynddi ddim ond cadair a desg yn y gornel ac arni beiriant tebyg i hen daflunydd. Darn gwastad o fetel ydoedd a chanddo fraich ddu denau'n crymu uwch ei ben. Diffoddodd y golau a chynnau'r peiriant.

Rhoes y copi o lythyr Aeres Vaughan i orwedd ar y darn gwastad. Wrth i'w lygaid addasu i'r tywyllwch, gwelodd olau fioled gwelw'r peiriant yn goleuo wyneb y papur. Craffodd yn fanylach a throdd y papur ar ei ochr er mwyn gweld yn well. O dipyn i beth, dechreuodd olion yr ysgrifen ddod i'r golwg yng ngwawl y golau arallfydol. Rhoes ei laptop ar ei gôl a dechreuodd deipio'n araf.

… er gwaethaf popeth a wnes iddi, popeth na wnes iddi. Y gwir yw na allai'r ferch roeddwn i'n ei hadnabod fod wedi gwneud yr hyn y mae pawb arall yn sicr iddi ei wneud. Roeddwn i, un tro, yn adnabod Catrin yn well na neb, ac ni wyddai'r ferch honno ddim am ladd. Mae'n fy ngorffwyllo ddydd a nos, ac wn i ddim ble i droi. Nid lladd ei hun a wnaeth fy Nghatrin annwyl. Fe'i llofruddiwyd. Gan bwy, ni wn, na pham.

Peidiwch â rhannu cynnwys y llythyr hwn â neb, John, a llosgwch ef, er fy mwyn, wedi ichi ei ddarllen.

Gyrrwch air, rhag imi golli fy nghof.

A

Eisteddodd Cai yn ôl yn ei gadair. Chwe blynedd wedi marwolaeth Catrin, roedd Aeres Vaughan yn dal i alaru. Ac roedd y galar wedi troi'n hunllef. Ac roedd Cai wedi dyfalu'n gywir. Roedd hi wedi gofyn i John Earnest losgi'r llythyr er mwyn dileu pob tystiolaeth am yr hyn roedd hi'n ei amau. Bu John Earnest yn driw i'w air, ond ni bu Aeres Vaughan, yn ei thrueni, yr un mor ofalus. Roedd arni gywilydd, mae'n amlwg, ei bod yn meddwl y fath beth, ond ni allai lai na throi ei thrallod yn eiriau, mewn gobaith y câi dawelwch meddwl.

Roedd yn amlwg hefyd fod John Earnest yn meddwl bod Aeres Vaughan wedi colli ei phwyll. Ar ei laptop, daeth Cai o hyd i'w drawsysgrifiad o'r llythyr yr oedd John Earnest wedi ei anfon yn ôl at Aeres Vaughan, a'i ailddarllen. Ychydig a ddeallai, yn ôl pob golwg, am ei chyflwr meddyliol. Pe bai modd iddi fynd at yr awdurdodau, fel yr awgrymodd ef, buasai Aeres Vaughan wedi gwneud hynny eisoes. A gallai fod wedi rhag-weld na fyddai hi wedi cytuno i ddod i weld arddangosfa gydag e yng Nghaerdydd, o bob peth. Nid oedd ryfedd fod yr ohebiaeth wedi darfod am rai blynyddoedd wedyn. Cawsai Aeres Vaughan siom ac roedd John Earnest wedi ei ddychryn.

Ond tybed a oedd unrhyw sail i'r hyn roedd Aeres Vaughan yn ei honni? 'Nid lladd ei hun a wnaeth fy Nghatrin annwyl. Fe'i llofruddiwyd.' Sylweddolodd Cai nad oedd yn gwybod y nesaf peth i ddim, mewn gwirionedd, am Catrin Hywel. Gwelsai lawer o'r lluniau yr oedd hi wedi eu creu, ond roedd y rheini'n rhoi iddo ddarlun digon cymysg ohoni, a hynny fel artist ifanc arbrofol yn unig. Roedd y casgliad annifyr o luniau tywyll a welsai'r diwrnod cynt yn sicr yn awgrymu ei bod wedi dioddef llawer yn sgil marwolaeth ei thad, ac roedd y llun hwnnw o'r llyn yn sail i gredu bod gadael bro ei magwraeth wedi cael rhyw gymaint o effaith arni hefyd. Ond ymddangosai'r rhan fwyaf o'r lluniau eraill yr oedd Cai wedi eu gweld yn gynnyrch artist a oedd wrthi'n ymhyfrydu yn y gallu a oedd ganddi. A barnu wrth safon y grefft yn nifer ohonynt, rhaid eu bod wedi eu creu tua diwedd ei hoes fer, pan oedd ei dawn wedi cyrraedd safon bur uchel.

Os oedd Aeres Vaughan am iddo gynnwys pennod ar waith Catrin Hywel yn ei ddoethuriaeth, byddai'n rhaid i Cai ddod o hyd i fwy o wybodaeth amdani. Diffoddodd y peiriant uwchfioled, casglodd ei bethau ac aeth yn ôl i'r ystafell ddarllen.

# 29

Curodd Cai ar ddrws glas Egerton House. Roedd Stryd y Popty yn prusuro wrth i'r masnachwyr a cheidwaid y siopau fynd i'w gwaith. Curodd eto, yna agorodd cil y drws yn araf.

'Helô?' dywedodd Cai.

'Who's there?'

'Dwi'n chwilio am Ffion Jones.'

'Pwy?'

Agorodd y drws a gwelodd Cai ferch ifanc mewn gŵn nos lliwgar a'i gwallt yn flêr.

'Sori os ddeffres i ti,' dywedodd, 'ond dwi'n chwilio am Ffion Jones.'

'O, Ffion,' atebodd y ferch dan ddylyfu gên. 'Rhoswch funud.'

Caeodd y drws ryw fymryn a chlywodd Cai ei thraed yn mynd i fyny'r grisiau. Clywodd lais y ferch yn gweiddi enw Ffion wedyn a sŵn drws yn clepio cau. Ymhen ychydig clywodd sŵn traed yn dod i lawr y grisiau, a daeth wyneb petrus Ffion i'r golwg.

'Sori am ddeffro dy ffrind ...' dywedodd Cai. 'Wyt ti'n cofio fi? Cai.'

Nodiodd Ffion.

'Ti'n rhydd i siarad?' gofynnodd Cai.

''Di ddim yr amser gora,' dechreuodd Ffion.

'Wna i'm dy gadw di'n hir. Alla i ddod i mewn?'

Taflodd Ffion gipolwg petrus dros ei hysgwydd.

'Neu be am fynd i gaffi?' cynigiodd eto. 'Bryna i baned iti.'

Edrychodd Ffion arno'n amheus.

'Gwranda,' dywedodd Cai, 'dwi 'di dod o hyd i fwy o wybodaeth am Catrin Hywel.'

Edrychodd Ffion arno'n fwy amheus byth, ond dechreuodd sylweddoli na fyddai'n debygol o gael gwared ohono heb reswm da. Pendronodd am eiliad.

'Iawn. Aros funud,' dywedodd yn anfoddog.

Caeodd y drws. Safodd Cai yn ei unfan am rai munudau. Roedd yn dechrau meddwl a ddylai roi cnoc arall ar y drws pan agorodd eto a daeth Ffion allan wedi newid i grys-T rygbi Cymru.

'Be am MG's?' cynigiodd Cai.

'Iawn.'

Croesodd y ddau'r stryd fawr ac anelu at gaffi ar Chalybeate Street. A hithau mor fore, doedd fawr neb yno ond ambell gwsmer selog, a chafodd y ddau fwrdd wrth y ffenest. Prynodd Cai ddau goffi ac eisteddodd.

'Sut wyt ti, beth bynnag?' gofynnodd.

'Iawn.'

Edrychodd ar y ferch a eisteddai gyferbyn ag e. Roedd ei gwallt braidd yn flêr ac angen ei olchi a'i hwyneb yn swrth. Ac eto roedd rhywbeth yn ddeniadol amdani ar yr un pryd. Roedd ei llygaid yn fywiog er gwaethaf ei hoerni tuag ato.

Aeth yn syth at ei bwnc.

'Dwi 'di bod yn gweithio'n y Llyfrgell Gen bron drwy'r wythnos ers imi dy weld di ddydd Sadwrn. Dwi 'di bod yn ymchwilio i hanes Catrin Hywel.'

'Pam?'

'Am fod Aeres Vaughan wedi gofyn imi wneud. Wel, dyw hi ddim wedi gofyn imi wneud hynny'n benodol, dim ond ei chynnwys hi yn y traethawd.'

'Oherwydd ei bod hi'n artist hefyd?'

'Ie, ac yn un da hefyd. Ta waeth, oherwydd iti sôn ei bod hi'n un o'r bobl gafodd 'u symud o Dryweryn, es ati i chwilio drwy'r hanes. Does 'na'm lot fawr wedi'i sgwennu am y peth. Ond ma 'na rai llyfre defnyddiol. Ddes i o hyd i un yn llawn ffotograffs du a gwyn, pob math o bethe reit o ddechre'r hanes tan y boddi 'i hun. Ac ma llun ohoni hi ynddo fe.'

Tynnodd ei ffôn o'i boced, dihunodd y sgrin a phwyso ar eicon ei albwm lluniau.

'Dynnes i lun o'r dudalen yn y llyfr.'

Agorodd ffotograff o ryw hanner dwsin o blant yn eistedd mewn un rhes ar ben wal gerrig. Roedd stên ar y llawr wrth eu hymyl a ffermwr a'i lewys wedi eu torchi yn pwyso yn erbyn y wal ac yn gwenu ar y camera.

'Ma'u henwe nhw i gyd o dan y llun.'

Lledodd ei fysedd ar hyd y sgrin a daeth yr wynebau'n fwy. Symudodd y llun i'r ochr â blaen ei fys, a daeth wyneb merch ifanc i'r golwg.

'Dyma hi.'

Roedd y ferch yn y llun yn gwenu'n braf, ei llygaid yn pefrio a'i gwallt du wedi ei dorri'n fyr at ei gwddf. Syllodd Ffion arni.

'Beth yw 'i hoedran hi?' gofynnodd.

'Rhaid ei bod hi'n naw, deg oed,' atebodd Cai. 'Ma 'na ambell lun arall ohoni 'fyd.' Gwnaeth y llun yn llai a sgroliodd ymlaen at y nesaf. 'Dyma hi eto.'

Roedd wyneb Catrin yn un o nifer fawr o wynebau plant ac oedolion y tro hwn – roedd pawb wedi ymgynnull i gael eu llun wedi ei dynnu ar ôl rhyw ddigwyddiad yn yr ysgol – ac nid oedd mor hawdd ei gweld.

'Ma'i thad hi yn hwn hefyd.' Symudodd Cai y llun tua'r brig, lle roedd hen ddyn i'w weld yn sefyll yn y cefn a gwên ar ei wyneb.

'Dyna'i thad hi?' gofynnodd Ffion yn synfyfyriol.

Doedd hi erioed wedi gweld llun ohono o'r blaen, er gweld ei enw ganwaith ar garreg yn y fynwent.

'Ond y llunie mwya diddorol,' sgroliodd Cai ymlaen heibio i dri llun arall, 'yw'r rhain.'

Gwelodd Ffion ffotograff o gapel gyda holl drawstiau'r to yn y golwg, fel pe bai tân wedi ei ddinistrio o'r tu mewn. Trodd i edrych ar Cai.

'Capel?'

'Ie, Capel Celyn. Fuodd yn rhaid iddyn nhw ddatgorffori'r capel cyn y boddi, ac wedyn fuon nhw wrthi'n tynnu'r adeilad yn ddarne.'

Sgroliodd ymlaen at y llun nesaf. Roedd y capel wedi mynd bron yn llwyr yn y llun hwn, a dim ond wal gefn yr adeilad oedd yn dal i sefyll yn noeth fel hen adfail anghofiedig. O flaen y fan lle arferai'r capel fod, roedd criw o ddynion wrthi'n brysur yn codi pridd ymysg y cerrig beddi.

'Be ma'r rhain yn neud?' gofynnodd Ffion gan bwyntio at y llun.

'Ar ôl dymchwel y capel, mi oedd yn rhaid iddyn nhw baratoi'r fynwent cyn i'r dŵr ddod. Gafodd teuluoedd yn yr ardal oedd â pherthnase wedi'u claddu yn y fynwent ddewis – un ai i godi'r cyrff a'u claddu nhw eto mewn mynwent arall, neu i'w gadel nhw lle ro'n nhw. Ar ôl gorffen y gwaith, dyma nhw'n gorchuddio'r fynwent i gyd gyda graean a chladdu'r cwbl wedyn dan goncrit.'

Syllodd Ffion ar y llun am ychydig.

'Felly be sy gan hyn i'w neud efo Catrin Hywel?'

Caeodd Cai y llun ar y sgrin a phwysodd flaen ei fys ar albwm gwahanol. Daeth rhes o baentiadau i'r golwg. Sgroliodd Cai i lawr a phwysodd ar un llun tywyll.

Gwelodd Ffion ddyn cydnerth â rhaw yn ei ddwylo wrthi'n torri bedd, a chorff ar lawr wrth ei ymyl. Roedd ei goesau a'i freichiau wedi eu cyfleu'n annaturiol, fel darnau o liw, a'i wyneb o'r golwg dan ei gap. Y tu ôl iddo yn y cefndir gwelai gapel annelwig. Roedd rhywbeth priddllyd, daearol iawn am y llun, rhyw egni tywyll, gwyllt a'i denai.

'Un o lunie Catrin ydi hwn?'

'Ie. Enillodd hi wobr gydag e, ma'n debyg. Dwedodd Aeres Vaughan fod Catrin wedi paentio'r llun ar ôl gweld ei thad hi'n cael ei gladdu ym mynwent Pen-llwch, ac mai dyna pam fod y llun mor ddu. Ond dwi ddim mor siŵr.'

Trodd i edrych ar Ffion, ac edrychodd hithau'n ôl.

'Edrycha ar y capel,' dywedodd Cai.

Craffodd Ffion ar y llun, a defnyddiodd ei bysedd i wneud y cefndir yn fwy. Doedd yr adeilad ddim yn eglur o gwbl, bron fel pe bai'n ysbryd, ond roedd yn amlwg mai capel ydoedd.

'Iawn …'

'Oes tair ffenest yng nghapel Pen-llwch?' gofynnodd Cai.

Pendronodd Ffion am eiliad.

'Dim ond dwy,' atebodd, 'ia, dwy ar bob ochr. Ond ma 'na dair yn y llun yma.'

Caeodd Cai y llun ac aeth yn ôl at yr albwm cyntaf. Agorodd y ffotograff o Gapel Celyn a tho'r adeilad yn y golwg. Rhifodd Ffion dair ffenest.

Edrychodd ar Cai.

'Ti'n meddwl mai llun o Gapel Celyn ydi o?' gofynnodd.

'Ma'n edrych fel 'ny i fi. Nid dim ond nifer y ffenestri, ond 'u siâp nhw hefyd.'

Craffodd Ffion ar y ffotograff. Roedd Cai yn iawn. Roedd ffenestri Capel Celyn yn grwn yn eu brig, ond corneli sgwâr oedd gan ffenestri capel Pen-llwch. Roedd uchder y to'n wahanol hefyd, o ran hynny.

'Felly os nad llun am ei thad hi ydi o,' dywedodd Ffion, 'pam ddaru hi baentio llun o Gapel Celyn?'

'Dyna'r cwestiwn. Dwi'n meddwl fod y llun rwbeth i neud 'da'r gwaith yma o godi'r cyrff cyn y boddi.' Sgroliodd ymlaen at y ffotograff o'r dynion yn codi pridd. 'Beth bynnag ddigwyddodd yn union, ma'n rhaid ei fod e wedi cael dipyn o effaith arni. Edrycha ar y llunie 'ma.'

Aeth Cai yn ôl at yr ail albwm a sgroliodd drwy nifer o'r lluniau tywyll o'r dyn annelwig a'r frân fawr wrth ei ymyl.

'Ma'r rhain i gyd yn perthyn, rywsut. Ma'n rhaid

fod Catrin 'di meddwl llawer am y peth, be bynnag oedd e.'

Syllodd Ffion ar y lluniau tywyll. Gwelai'r un egni ynddynt, rhyw rym cynddeiriog yn bygwth torri'n rhydd.

'Be ti'n feddwl?' gofynnodd Cai.

Oedodd Ffion. Roedd yr hogyn ar ochr arall y bwrdd yn amlwg wedi ei gyffroi ynghylch y lluniau, a doedd hi ddim am dynnu'r gwynt o'i hwyliau.

'Dwi'n meddwl 'i fod o'n ddiddorol, ond ...'

'Fi hefyd. A dwi angen help. Ma llwyth o lunie a hen bapure newydd yn y Gen hoffen i fynd drwyddyn nhw, ond alla i ddim rhoi'n holl amser i iddyn nhw. Fyset ti'n barod i helpu?'

Edrychodd Ffion arno'n amheus.

'Dere – glywes i dy fod ti'n un o'r myfyrwyr gore sy'n neud bioleg, ac yn gweithio'n galed.' Edrychodd arni'n ymbilgar. 'Fysen i'm yn mynd â gormod o dy amser di, 'mond rw ddiwrnod ne ddau.'

Edrychodd Ffion arno, ei lygaid yn erfyn. Edrychodd ar y baned goffi ar y bwrdd, ac yna ar y ffôn ac arno lun o frân fawr ddu yn rhoi bwyd o'i cheg i ryw gysgod o ddyn oddi tani.

'Ok.'

## 30

Trodd Cai'r ddalen. Chwe chopi arall o ffotograffau du a gwyn wedi eu gosod mewn dwy res o dri. Cae a ffermdy yn y pellter. Buarth fferm. Bryn uchel moel. Golygfa o ddyffryn agored. Trodd y ddalen nesaf.

Roedd wedi bod wrthi ers tridiau yn mynd yn ddeddfol drwy gasgliadau ffotograffau'r Llyfrgell Genedlaethol. Roedd nifer o'r casgliadau pwysicaf wedi eu catalogio fesul blwyddyn, a thasg Cai oedd pori drwy'r holl flynyddoedd rhwng 1955 ac 1965. Cwmpasai'r degawd flynyddoedd olaf Capel Celyn, o'r datganiad gwreiddiol o fwriad Corfforaeth Lerpwl i foddi'r cwm hyd at y seremoni i agor yr argae'n swyddogol. Roedd rhyw ddwsin o ffotograffwyr blaenllaw wedi ymweld â'r dyffryn o leiaf unwaith yn ystod yr amser hwnnw i gofnodi ffordd o fyw a oedd, ym mhob ystyr, ar fin darfod yn llwyr.

Trodd y ddalen olaf a chau'r cyfeirlyfr. Rhoes y casgliad ffotograffau yn ôl ar y silff a chododd y nesaf a'i osod ar y ddesg o'i flaen. Roedd y rhifau '1963–1964' wedi eu hysgrifennu mewn inc trwchus ar y meingefn. Agorodd y clawr a dechrau troi'r dalennau.

Ar ôl pori am awr, pwysodd yn ôl yn ei gadair ac ymestyn ei freichiau. Roedd craffu cyhyd ar luniau o bobl yn ymadael â'u cartrefi ac yn gwerthu stoc ar ffermydd condemniedig yn waith blinderus. Yr un wynebau a ddôi i'r golwg o'r naill gasgliad i'r llall, wynebau taer y bobl a ofidiai am eu dyfodol yn gymysg ag wynebau digynnwrf y rhai a welai fywyd yn mynd yn ei flaen fel arfer. Gwelai yn lluniau'r arwerthu a'r datgorffori a'r gwasanaethau ysgol ryw gryfder cymunedol ynghyd ag elfen o sioe, fel pe bai'r diwedd anochel yn dwyn ynghyd y rheini a synhwyrai, am ba bynnag reswm, ddifrifoldeb y digwyddiad yn ogystal â'r rhai a oedd yn dioddef yn ei sgil. Sylweddolodd mai i'r garfan gyntaf y perthynai'r ffotograffwyr a dynnodd yr holl luniau, onid ef ei hun hefyd. Sgriblodd fanylyn am ambell lun diddorol ar ddarn o bapur – 298 Oedfa'r Nos, Sul y Pasg, 331 gorymdaith yn y Bala – a chau'r llyfr.

Cododd ei olygon o'r lluniau o'i flaen. Ar ben arall y ddesg hir yn Ystafell Ddarllen y De roedd Ffion wrthi'n pori drwy set o ddogfennau eraill. Roedd hi wedi treulio deuddydd yn Ystafell Ddarllen y Gogledd, ar ochr arall y llyfrgell, yn darllen hen rifynnau o bapur newydd *Y Cymro*, lle ceid cyfres gynhwysfawr o erthyglau'n croniclo hanes boddi Capel Celyn rhwng 1955 ac 1965. Roedd wedi archebu copïau o ryw ddwsin o'r erthyglau mwyaf defnyddiol ac roedd bellach yn mynd drwyddynt gyda chrib fân. Daethai o hyd i luniau eraill o Catrin Hywel a'i thad a chryn dipyn o fanylion am rai o'r teuluoedd a gollodd eu cartrefi.

Roedd Ffion yn weithiwr brwd. Gwelai Cai ynddi'r un cynnwrf at y gwaith ag a deimlai yntau wrth ddilyn trywydd ansicr drwy goedwig fawr o wybodaeth. Fe wyddai ei bod hi fel yntau'n gwybod fod rhyw greadur diddorol yn llechu ymysg y cysgodion yn rhywle, ond y byddai angen pâr o lygaid craff iawn i'w weld. Ac roedd llygaid Ffion gyda'r craffaf, ac yn fywiog er gwaethaf yr anhrefn o'i chwmpas. Gwyliodd hi'n syllu ar y papur o'i blaen drwy dri chudyn o wallt a ddisgynnai i lawr yn anniben o flaen ei hwyneb.

Bron yn ddiarwybod iddo'i hun, dechreuodd Cai amlinellu siâp ei thalcen ar y papur o'i flaen. Dilynodd y pensil ymyl ei hwyneb yn fras, ochrau ei gwallt a'i hysgwyddau, llinell fer i gyfleu ei thrwyn ac awgrym o geg, ond arafodd wrth gyrraedd y llygaid. Roedd rhyw ystyfnigrwydd swil ym myw'r llygaid hynny, a gwyddai Cai na fedrai'n hawdd eu cyfleu ar bapur gyda phensil HB.

Rhoes y pensil i lawr a throdd y papur ben i waered. Cododd o'i sedd a thynnodd gyfeirlyfr arall oddi ar y silff. '1964–1965'. Ar ôl hanner awr o bori daeth at gyfres o ffotograffau o wasanaeth datgorffori Capel Celyn.

Y lôn o boptu i'r capel yn orlawn gan geir ar bob ochr. Llond yr adeilad o bobl yn eu dillad gorau a'r seti i gyd yn llawn. Dangosai'r cloc ar y wal yn y cefndir mai deg munud wedi dau y prynhawn oedd hi pan dynnwyd y llun. Aeth ymlaen drwy'r tudalennau, gan nodi rhif ambell ffotograff ynghyd â'r manylion a geid ar y ddalen gyferbyn.

Ymhen ychydig daeth at gyfres arall o luniau, yn cynnwys y llun o'r capel heb ei do a welsai mewn llyfr am hanes Tryweryn. Llun o du mewn y capel wedi ei ddiberfeddu, yr holl seti wedi eu tynnu, a'r sêt fawr a'r puplud, a dim ar ôl ond addurn paent ar y waliau. Llun arall o'r capel a thair o'i waliau wedi eu dymchwel, a'r wal gefn yn unig yn sefyll yn nannedd yr elfennau.

Trodd y ddalen a dod o hyd, o'r diwedd, i'r llun y bu'n chwilio'n benodol amdano. 521, criw o ddynion yn codi pridd ym mynwent y capel. Roedd cyfres hir o luniau ar y ddalen honno a'r nesaf yn dangos rhai o'r cerrig beddi'n cael eu codi, ambell bentwr o bridd rhwng y meini a gweithwyr wrthi'n lefelu llond maes o raean dros y cyfan. Ar y ddalen gyferbyn roedd rhestr o'r dynion a welid ym mhob llun. Nododd yr enwau ar ei ddarn papur, ynghyd â'r dyddiad, Gorffennaf 1964. Gwnaeth nodyn hefyd o'r hyn y medrai ei ddarllen ar wynebau rhai o'r beddfeini a dynnwyd o'r fynwent, lle gallai weld rhai enwau a dyddiadau'n eglur.

Roedd wrthi'n syllu yn synfyfyriol ar y ffotograffau pan ddaeth Ffion ato.

'Dwi 'di ffindio un neu ddau o bethe,' dywedodd Ffion. 'Ti awydd coffi?'

# 31

Eisteddodd Cai a Ffion ym mhen pellaf caffi'r llyfrgell. Sipiodd Cai ei goffi a gwrandawodd ar ei gyd-ymchwilydd yn siarad.

'... sy'n awgrymu eu bod nhw'n byw yn un o'r tai newydd, neu'n aros gyda rhywun arall. Y Post, o bosib.'

Roedd Ffion wedi dod o hyd i ddau gyfeiriad at dad Catrin Hywel yn y papur newydd, ond doedd yr un ohonynt yn nodi ym mhle roedd ei gartref. Roedd y cyntaf yn rhan o restr hir o enwau a geid wrth ymyl llun o ryw ddeugain o drigolion Capel Celyn a deithiodd i Lerpwl i brotestio yn erbyn boddi'r cwm yn 1956. Safai tad Catrin yn y rhes gefn. Roedd yr ail gyfeiriad ynghlwm â gwaith cynnal a chadw yr oedd ei thad wedi ei wneud ar y rheilffordd yn y dyffryn.

'Dwi'n meddwl mai dod i'r dyffryn ddaru nhw o rywle arall, a bod tad Catrin wedi dod yno'n wreiddiol i weithio ar orsaf Pont Tyddyn. Ddes i o hyd i erthygl yn 1953 sy'n sôn am drwsio'r lein, ac ma tad Catrin yn cael ei enwi fel fforman.'

Lledodd gwên edmygus ar wyneb Cai.

'Ti 'di ca'l hwyl arni,' dywedodd.

'Dwi ddim 'di gallu dod o hyd i ddim byd am ei mam hi eto.'

'Wnei di ddim, debyg,' atebodd Cai. 'Soniodd

Aeres Vaughan ei bod hi 'di marw pan oedd Catrin yn ifanc. Mi oedd Aeres a hi'n chwiorydd.'

Distawodd Ffion, ac yfodd ei choffi.

'Felly be ti 'di ffindio?' gofynnodd ymhen ychydig.

'Dwi 'di cael enwe'r rheini oedd yn gweithio yn y fynwent.' Dangosodd Cai ei ddarn papur iddi.

Glyndwr Thomas
Elfed Jones
Dafydd Jones
Richard Abel Williams
James Thomas
Owain Eleias
Emrys Robert John
Oswald Jones
John Ellis Williams

Syllodd Ffion ar y rhestr am ychydig.

'Dwi 'di gweld rhai o'r enwe 'ma yn y papur,' dywedodd yn synfyfyriol.

'Yr enwe odanyn nhw,' dywedodd Cai, 'yw rhai o'r enwe oedd ar y cerrig beddi.'

John Edwards
Dolfawr
1870–1945

Sarah Harriet Jones
Coed Mynach
1864–1944

'On i wedi bwriadu chwilio'r cofnodion,' dywedodd Cai, 'i weld a oedd un ohonyn nhw'n perthyn i Catrin. Dyma fi'n meddwl, os oedd rhywun roedd hi'n perthyn iddo fe wedi'i gladdu yn y fynwent, falle mai cyfeirio at hynny ma'r llun 'na baentiodd hi. Ond os ti'n credu mai symud i'r dyffryn nath hi a'i thad, does dim lot o bwynt chwilio.'

'Unrw lunie erill o Catrin?'

'Dim ond ambell un, rhai tebyg i'r llunie ddest ti o hyd iddyn nhw.'

Sipiodd y ddau eu coffi.

'Wedi meddwl,' dywedodd Cai ymhen ychydig amser, 'cafodd Aeres Vaughan 'i magu yn Ninbych. Falle fod teulu Catrin yn byw yno hefyd cyn i'w mam hi farw.'

Nodiodd Ffion mewn cytundeb.

'Ma'n gwestiwn amlwg,' dywedodd Ffion, 'ond yn lle gneud yr holl chwilio 'ma, pam na wnei di jyst gofyn am ei hanes hi gan Aeres Vaughan?'

Symudodd Cai yn anesmwyth yn ei sedd.

'Am nad yw hi'n hoffi siarad amdani rw lawer,' atebodd, hanner ffordd rhwng gwir a chelwydd. 'Ma hi'n hen, ac yn teimlo'n euog nad oedd hi 'di gallu achub Catrin. Ma hi wedi sôn wrtha i am ei llunie hi ei hun, a dydi'r hyn ma hi wedi'i ddweud ddim bob tro'n gywir ta beth, ar ôl tsiecio. Ma'r hyn 'den ni'n neud yn haws, fentra i.'

Trodd Ffion i edrych allan drwy'r ffenest.

'Alla i ddeall,' dywedodd a'i llygaid yn bell, 'os ddaru hi fynd o'i cho'. Yr holl lunie 'na, y ffermydd a'r cartrefi wedi malu.'

'Ti'n iawn.'

'Na, dychmyga'r peth. Go iawn. Ti erioed 'di symud tŷ?'

'Droeon.'

'Dwi ddim, ond fedra i'm dychmygu fyswn i'n mwynhau gneud, er mor ddiflas ma'r lle'n gallu bod weithie. Ond dychmyga orfod symud allan o'r tŷ lle cest ti dy fagu – dy eni, hyd yn oed – lle dreuliest ti bob haf a gaeaf, lle fuest ti … wel, yn byw. Dychmyga'r lle yna wedyn yn cael ei dynnu'n ddarne. Nid jyst gweld pobl erill yn symud fewn, ond gweld y lle'n stopio bod. 'Se hynny'n cael effaith ar dy feddwl di, ma raid.'

Syllodd Cai i mewn i'w gwpan. Meddyliodd am yr holl ffotograffau a welsai'r bore hwnnw o foncyffion coed wedi eu llifio a bonion waliau lle roedd tai wedi sefyll un tro, fel pe bai'r corff wedi ei rwygo i ffwrdd gan adael y coesau'n sefyll.

'Ma rhai pobl,' dywedodd Ffion, 'yn gallu diodde torri rhanne ohonyn nhw i ffwr'. Torri'r drwg allan cyn iddo fo ledu drwot ti. Ond weithie fedri di'm torri darn digon mawr i ffwr' heb iddo dy newid di'n llwyr, dy ladd di. Bosib iawn mai mynd o'i cho' ddaru hi wedi'r cyfan.'

# 32

Cododd Cai wydraid o sudd oren at ei wefusau. Syllodd o amgylch yr ystafell wrth iddi gylchdroi'n araf o'i amgylch. Cawsai e-bost gan Jarvis Smith rai dyddiau yn ôl yn ei wahodd i agoriad arddangosfa luniau mewn oriel yn y Borth. Buasai Cai yn gyndyn i adael ei waith yn y llyfrgell ond, wedi ailfeddwl, penderfynodd y byddai egwyl fer o'r gwaith sgrolio undonog drwy gofrestri plwyf ar beiriannau blinderus yr ystafell ddarllen yn debygol o wneud lles iddo. A byddai'n gyfle hefyd i gael sgwrs â'i ddiwtor, a'i gadw'n ddiddig ynghylch cynnydd y gwaith.

Symudai'r bobl yn yr ystafell o'r naill lun i'r llall, gan oedi bob hyn a hyn i bwyntio at y wal neu longyfarch rhai o'r artistiaid a oedd yn bresennol. Edrychodd ar y daflen a wthiwyd i'w law ar y ffordd i mewn.

Continuities of Place: Paintings for Borth
Parhad Gofod: Lluniau er mwy Borth

Rhoes y daflen i lawr ar fwrdd y gwydrau. Fe fu amser un tro pan wylltiai Cai wrth weld y Gymraeg yn cael ei gosod yn ail, neu gyfieithu gwael, neu gamdeipio amlwg. Ond bellach, a'r camgymeriadau i'w gweld yn digwydd mor aml, doedd dim i'w wneud ond eu rhoi o'r golwg yn flinedig a rhyw ddiolch yn dawel fod mymryn o'r iaith i'w weld o gwbl.

Cawsai sgwrs â Jarvis Smith wrth y drws. Diolchodd ei diwtor iddo am ddod, a'i holi am y gwaith a'r ymweliad ag Aeres Vaughan. Gwnaeth Cai bwynt o'i sicrhau fod popeth yn mynd rhagddo'n hwylus, a'r ymweliad wedi bod yn agoriad llygad arbennig, a'r gwaith catalogio lluniau'n tynnu at ei derfyn, a'i fod wedi trefnu i ddychwelyd i'r plas ar ddiwedd yr wythnos.

'That's great, just great,' atebodd Smith.

Mewn gwirionedd, roedd hiraeth Cai am luniau Aeres Vaughan yn dwysáu wrth y funud wrth iddo edrych ar y lluniau o'u cwmpas. Lluniau dyfrlliw oeddynt bron bob un, eu paent tryloyw yn dangos gwahanol olygfeydd treuliedig o'r Borth a'r cyffiniau.

'Tonight's all about raising awareness,' roedd Smith wedi dweud. 'You've probably heard that the government is considering pulling the funding for the sea defences here. It costs a hell of a lot to keep the sea out, but it's worth it. I just love Borth, and the environment too. So tonight's about getting the message out and raising some money for the appeal. Thanks, Cai, for coming.'

Crwydrodd Cai drwy'r ystafell am ychydig, ei lygaid yn sganio'r lluniau ar y waliau ond ei feddwl yn yr ystafell gefn ym Mhlas Helygog yn rhoi trefn ar luniau Catrin Hywel ac Aeres Vaughan. Rai dyddiau ynghynt roedd wedi cysylltu ag Esell i drefnu ail ymweliad â'r plas. Roedd trywydd ei ymchwil yn y llyfrgell wedi oeri. Er twrio'n fanwl drwy domenni o ffotograffau a chofrestri ac ambell ewyllys, nid oedd fawr ddim newydd wedi dod i'r golwg am gyswllt Catrin Hywel â Chapel Celyn na neb a fu'n byw yno.

Cawsai Ffion, serch hynny, fwy o lwyddiant yn dod o hyd i wybodaeth am gefndir Catrin. Daeth o hyd i ddau adroddiad papur newydd digon cryno am farwolaeth Catrin ym mis Medi 1973.

*Girl Found Dead in Merionethshire*

*Suspected Suicide in North Wales Village*

Roedd y penawdau yn y papurau Cymraeg rywfaint yn llai oeraidd, ond ni cheid yn eu herthyglau ond ychydig friwsion yn fwy o wybodaeth am Catrin.

> Bu farw Catrin Hywel, Gwynfa, Pen-llwch, gynt o Henllan, Sir Ddinbych, ar yr wythfed ar hugain o Fedi. Daethpwyd o hyd i gorff y ferch ugain oed yn un o goedwigoedd y Comisiwn Coedwigaeth yng nghyffiniau Pen-llwch. Cofnodwyd dyfarniad o hunanladdiad gan y crwner.

Roedd Ffion hithau wedi dod i stop wedyn. Cadarnhawyd y cyswllt â Dinbych, ond nid oedd hynny ond yn gwanhau'r cyswllt â Chapel Celyn. Ni roesai'r ddau y gorau i'r helfa, ond roedd Cai eisoes, yn dawel bach, wedi dechrau ystyried yr wybodaeth newydd yn nhermau ei waith ymchwil yn hytrach na datrys dirgelwch. Roedd yn bryd iddo ddychwelyd at ei waith, a dychwelyd at Aeres Vaughan.

Oedodd o flaen rhyw lun ar hap. Llun o'r Borth o ben Craig yr Wylfa, y traeth yn crymu fel lleuad fain tua'r mynyddoedd yn y pellter, a'r rhesi ewyn ar y môr yn nesáu at y tir yn rhengoedd. Roedd ar fin chwilio am Smith i drefnu cyfarfod ar gyfer yr wythnos nesaf pan deimlodd ei ffôn yn dirgrynu yn ei boced.

> tyd i h owen
> angen gweld y papur yna eto
> ffion

Llyfrgell Hugh Owen? Roedd Cai wedi cymryd bod Ffion wedi mynd adref pan adawsai'r ddau y Llyfrgell Genedlaethol y prynhawn hwnnw am chwech.

Anfonodd neges yn ôl, tynnodd goler ei got yn uchel ac anelu am y drws.

# 33

Eisteddai Ffion wrth ddesg gyferbyn â'r ffenestri ar lawr cyntaf y llyfrgell. Roedd rhyw ddwsin o fyfyrwyr eraill yn eistedd wrth y desgiau eraill ar hyd y wal, pob un â'i laptop yn agored o'i flaen a'i wyneb wedi ei oleuo gan loywder y sgrin. Syllai tua'r drws ym mhen pellaf yr ystafell yn disgwyl i Cai gerdded drwyddo.

Ychydig oriau yn ôl roedd Ffion hanner ffordd i lawr rhiw Pen-glais pan oedodd yn ei hunfan. Buasai'n sgrolio drwy hen bapurau newydd drwy'r dydd, ei llygaid yn araf drymhau wrth i'r oriau gropian heibio. Ond wrth i'r diwrnod fynd rhagddo fe ddaeth yn fwyfwy ymwybodol o ryw anniddigrwydd bychan yng nghefn ei meddwl.

Nid oedd ond y rhithyn lleiaf o deimlad ar y cychwyn, bron fel pe na bai'n bod o gwbl. Cyffyrddiad pluen ar lawr seler yn nyfnderoedd ei chof. Ceisiodd ei wthio o'r neilltu, rhag iddo amharu ar ei gallu i ganolbwyntio ar ddidoli'r colofnau dirifedi a daflunnid ar y llwyfan bach gwyn o'i blaen. Ond fe ddaeth y teimlad yn ei ôl, a rhyw grafu'n ysgafn, ysgafn ar ddrws cefn ei meddwl. Oedodd wrth ei gwaith fwy nag unwaith, ac agor y drws hwnnw'n araf bach ond, pan edrychai allan i'r tywyllwch, nid oedd dim i'w weld. Cafodd lonydd am ychydig wedyn, a chiliodd y teimlad yn raddol wrth iddi ailafael yn y gwaith.

Ond a hithau'n rhydd o afael y llyfrgell, ac wedi cyrraedd hanner ffordd i lawr y bryn, fe safodd yn stond. Daethai'r teimlad yn ôl ac ysgwyd y drws bach hwnnw yng nghefn ei meddwl, fel pe bai wedi bod yn disgwyl ar y rhiniog ers meitin. A'r eiliad yr agorodd Ffion y drws, roedd wedi mynd eto. Ond cawsai gip arno'r tro hwn. Nid oedd ganddi syniad pam, ond daeth i flaen ei meddwl yr eiliad honno atgof o'i phlentyndod am fod yn yr ysgol Sul yn y capel bach ym Mhen-llwch. Ceisiodd ddirwyn yr atgof hwnnw i'w ganol tywyll, ond collodd ei gafael ynddo yn sŵn y traffig a chwyrnai heibio iddi ar y lôn fawr.

Trodd ar ei sawdl ac aeth yn ôl ar ei hunion i fyny'r bryn tua'r campws. Pan gyrhaeddodd Lyfrgell Hugh Owen teimlai'n flin wrth weld fod cynifer o fyfyrwyr yn eistedd wrth y desgiau a hithau wedi nosi. Roedd arni awydd seinio'r larwm dân i gael eu gwared nhw bob un a chael y lle i gyd iddi hi ei hun. Pwyllodd, ac aeth i eistedd wrth ddesg wag.

Treuliodd yr oriau nesaf yn rhyw fudr-bori drwy lyfrau ac erthyglau yn y gobaith y dôi'r teimlad yn ei ôl. Roedd ar fin mynd i brynu coffi o'r peiriant ar y llawr isaf pan ddigwyddodd sylwi ar ei hadlewyrchiad yn y ffenest dywyll. Gwelai ei hun yn llygad ei meddwl eto ryw fore Sul yng nghapel y pentref, a'r pregethwr yn adrodd hanes y proffwyd Elias yn cystwyo'r brenin am addoli duwiau ffug. Ni wnâi'r atgof fawr o synnwyr iddi bryd hynny, ond cawsai afael mewn edefyn bychan, ac fe'i dilynodd.

Aeth i ystafell y casgliad Celtaidd a chwiliodd am feibl ymysg y llyfrau Cymraeg. Disgwyliai ddod o hyd i un heb lawer o drafferth, ond buan y sylweddolodd mai un llyfr ydoedd ymhlith miloedd, er gwaethaf ei enwogrwydd. Bu'n rhaid iddi chwilio amdano ar y system yn y pen draw, a chael gafael ar gopi treuliedig ar silff ddiarffordd.

Trodd at y ddalen gynnwys, ond ni welai enw Elias yno. Aeth yn ôl at y ddesg i chwilio amdano ar ei ffôn, a chael ymhen ychydig mai yn Llyfr y Brenhinoedd y ceid ei hanes. Trodd y dalennau tenau'n gyflym gan frasddarllen ambell bennawd wrth fynd. Cyrhaeddodd yr ail bennod ar bymtheg, a darllenodd.

> Dywedodd Elias y Thesbiad o Thisbe yn Gilead wrth Ahab, 'Cyn wired â bod Arglwydd Dduw Israel yn fyw, yr hwn yr wyf yn ei wasanaethu, ni bydd na gwlith na glaw y blynyddoedd hyn ond yn ôl fy ngair i.' Wedyn daeth gair yr Arglwydd ato: 'Dos oddi yma a thro tua'r dwyrain ac ymguddia yn nant Cerith, sydd i'r dwyrain o'r Iorddonen. Cei yfed o'r nant, a pharaf i gigfrain dy borthi yno.' Aeth yntau a gwneud yn ôl gair yr Arglwydd ac aros yn nant Cerith i'r dwyrain o'r Iorddonen. Bore a hwyr dôi cigfrain â bara a chig iddo, ac yfai o'r nant. Ond ymhen amser …

Llithrodd y llyfr o'i llaw i'r ddesg o'i blaen. Gallai weld yn llygad ei meddwl ddalen o lyfr i blant ac arni lun o'r proffwyd a chigfran fawr ddu wrth ei ymyl yn rhoi yn ei geg ddarnau o fwyd â'i phig. Hwn oedd yr atgof a fu'n aflonyddu arni drwy'r dydd, yn sbecian arni yng nghornel ei llygad.

A oedd gan Catrin Hywel lun tebyg yn ei meddwl pan baentiodd y darluniau o'r gŵr tywyll a'r frân fawr wrth ei ymyl â bwyd yn ei phig? Roedd profi'r peth yn amhosib, ond roedd rhyw lais ym meddwl Ffion yn sibrwd wrthi ac yn dweud ei bod ar y trywydd cywir. Bu'n eistedd am ychydig wedyn, gan adael i'w meddwl orffwys a hithau wedi distewi'r hyn a fu'n ei hanniddigo drwy'r dydd.

Ond yn y man dechreuodd anesmwytho eto, fel pe bai rhyw gynrhon yn y sedd. Roedd rhywbeth arall yn ei blino hefyd, rhywbeth nad oedd hi wedi sylwi arno'n iawn ond a oedd wedi deffro rhan o'i hisymwybod.

Cofiodd yn sydyn. Anfonodd neges at Cai. A dyna lle bu hi'n syllu am awr tua'r drws ym mhen pellaf yr ystafell yn disgwyl i Cai gerdded drwyddo.

# 34

Ar ôl chwilio'r silffoedd ar y llawr gwaelod aeth Cai i fyny i'r llawr cyntaf a dechrau cerdded o silff i silff. Yn sydyn clywodd rywun yn galw ei enw. Gwelodd Ffion ym mhen draw'r ystafell y tu ôl i ddesg wrth y ffenestri. Aeth draw ac eistedd gyferbyn â hi.

'Be ti 'di ffindio …'

'Tyd â'r darn papur yna oedd gen ti yn y llyfrgell ddydd Mawrth.'

'Pa ddarn papur …'

'Yr un efo enwe'r dynion fuodd yn palu'r fynwent.'

Twriodd yn y pentwr papurau yr oedd wedi eu codi o'r car.

'Dwi'm yn meddwl 'i fod e – na, dyma fe.'

Tynnodd y tameidyn papur o'r pentwr a'i roi ar y ddesg o'i blaen. Rhythodd hithau arno'n syth.

'Dacw fo,' dywedodd. Pwyntiodd ei bys at y chweched enw ar y rhestr.

Owain Eleias

'Dacw pwy?' gofynnodd Cai.

'Y dyn yna sydd yn llunie Catrin, yr un sy'n dywyll i gyd a'r frân yn 'i fwydo fo.'

'Ei fwydo fe?'

'Ie, ma'r frân yn 'i fwydo fo. Ydi'r llunie gen ti?'

Tynnodd Cai ei ffôn o'i boced. Daeth â'r lluniau

i'r golwg, a sgroliodd ymlaen at y gyfres dywyll.
Craffodd y ddau ar bob un yn ei dro.

'Ti'n iawn,' dywedodd Cai, 'ma 'na ryw fwyd yn
'i phig hi. Ma'n edrych fel 'se hi'n 'i roi e i'r dyn.'

Rhoes Ffion feibl o'i flaen a'i agor ar y ddalen
berthnasol. Pwyntiodd at bennod dwy ar bymtheg.
Darllenodd Cai'n dawel. Pan gyrhaeddodd hanner
ffordd i lawr y ddalen, trodd yn ôl at y rhestr
enwau.


Owain Eleias.


Cododd ei ben ac edrych ar Ffion yn syn.

'Sut ddest ti o hyd i hyn?'

'Oedd o 'di bod yn cuddio yn 'y mhen i drwy'r
dydd. Cofio gweld y llun 'ma pan o'n i yn y capel
flynyddoedd yn ôl, yr Elias 'ma'n cael 'i fwydo gan
y frân. Rhaid 'mod i wedi sylwi ar y tebygrwydd
pan welish i'r llun ddaru Catrin neud, jyst fod hi 'di
cymryd dros wthnos imi sylweddoli.'

Edrychodd Cai eto ar y llyfr a'r rhestr enwau.

'Ma'n anodd profi'r peth ...'

'Ond 'se'n dipyn o gyd-ddigwyddiad, siawns.'

'Byse.'

'Mi oedd o'n un o'r rhai fuodd yn gweithio yn
y fynwent. Ac mi baentiodd Catrin lot o lunie o
rywun yn gwneud y gwaith yna. Ac ychwanegu'r
frân a'r bwyd. Dwi bron yn siŵr mai fo ydi o.'

Craffodd Cai eto ar y lluniau ar ei ffôn.

'Dwi bron yn siŵr dy fod ti'n iawn,' dywedodd heb dynnu ei lygaid oddi ar y papur.

Edrychodd eto ar Ffion.

'Pan o'n i yn y plas gydag Aeres Vaughan, ddes i o hyd i lythyr.'

Aeth yn ôl at y pentwr papurau a thynnodd ddarn o bapur pinc allan ohono'n ofalus a'i osod ar y ddesg.

'Copi yw hwn o'r llythyr yna. Gafodd e'i sgwennu yn 1979 gan Aeres Vaughan. Ti prin yn gallu'i ddarllen e nawr, ond lwyddes i i weld be sy 'na gyda'r peiriant uwchfioled yn y Gen. Mae e ar y laptop yn y car, os ti am 'i ddarllen e i gyd. Yr hyn ma hi'n ddweud, yn fyr, yw 'i bod hi ddim yn credu fod Catrin wedi'i lladd 'i hun. Mi oedd hi'n credu fod rhywun wedi'i llofruddio hi.'

Syllodd Ffion arno gyda chymysgedd o syndod ac anniddigrwydd. Craffodd wedyn yn anfoddog ar y papur pinc.

'Diolch am sôn,' dywedodd.

'Sori, do'n i ddim am i neb wybod ar y dechre.'

Ceisiodd Ffion yn ofer ddarllen y llythyr.

'Ti'n siŵr mai dyna be mae o'n ddeud?'

'Ydw.'

'A ti'n meddwl fod y dyn yma rwbeth i'w neud efo'r peth?'

Oedodd Cai.

'Dwi'n meddwl, os oedd Aeres Vaughan yn iawn, a bod rhywun wedi llofruddio Catrin …'

Gostyngodd ei lais wrth i fyfyriwr gerdded heibio. Sylweddolodd pa mor rhyfedd oedd yr hyn roedd ar fin ei ddweud.

'… os oedd hi'n iawn, ma'n edrych fel 'se Catrin wedi'n harwain ni at y llofrudd.'

Roedd rhan fach o Ffion eisiau chwerthin mewn anghrediniaeth. Ond wrth i'r syniad wreiddio'n araf yn ei meddwl, sylweddolodd y gallai fod rhyw wir yn perthyn iddo. Profodd y gair 'llofrudd' ar ei thafod.

'Rhyw fath o broffwyd du, o bosib,' dywedodd yn dawel.

Craffodd eto ar y rhestr enwau.

'Pwy wyt ti, Owain Eleias?'

# 35

Cai a Ffion oedd y rhai cyntaf drwy ddrysau'r Llyfrgell Genedlaethol y bore wedyn. Aeth Cai yn syth i Ystafell Ddarllen y De ac yn ôl at y silffoedd lle cedwid cyfeirlyfrau'r ffotograffau, ac aeth Ffion yn ôl at y papurau newydd yn Ystafell Ddarllen y Gogledd. Gweithiodd y ddau'n ddiwyd tan hanner dydd, pan ddaethant ynghyd eto am ginio ac i gyfnewid gwybodaeth. Doedd Cai ddim wedi dod o hyd i ddim eto. Dywedodd Ffion ei bod hi wedi siarad â'i thad ar y ffôn, ac wedi gofyn iddo a oedd erioed wedi clywed yr enw Owain Eleias. Doedd ei thad ddim wedi clywed yr enw o'r blaen, ond roedd Ffion wedi gofyn iddo holi Mrs Evans, rhag ofn y byddai'r enw yn canu cloch. Roedd hi hefyd wedi dod o hyd i enw Owain Eleias yn *Y Cymro* wrth lun o griw o ffermwyr ardal Capel Celyn mewn cyfarfod i drafod y cynlluniau i foddi'r cwm. Fe'i disgrifid fel 'gwas ffarm'.

Aeth y ddau yn ôl ati wedyn am rai oriau, gan gyfarfod eto ganol y prynhawn am goffi. Erbyn hynny roedd Cai wedi dod o hyd i ddau lun o Owain Eleias yn y casgliad ffotograffau. Roedd y geiriau 'gwas ffarm' ar ôl ei enw eto wrth ymyl un llun, ynghyd ag enw'r fferm, sef Tyddyn Isa'. Roedd Cai wedi mynd ati wedyn i chwilio drwy'r mynegai am enw'r fferm, a chael gafael ar yr ail lun mewn arwerthiant o stoc y fferm ychydig cyn boddi'r cwm. Safai Owain Eleias yng nghanol haid fawr o ddynion a oedd wedi crynhoi o amgylch dau darw ifanc, a'r arwerthwr yn y canol yn cadw cownt o'r cynigion. Ni ddaethai Ffion o hyd i ddim.

Penderfynodd y ddau weithio ymlaen tan yr awr olaf cyn cau'r drysau. Yn absenoldeb unrhyw olwg o enw'r gwas fferm, chwiliodd Cai drwy wynebau dirifedi yn y gobaith o ddod o hyd i wyneb gwydn

Owain Eleias yn eu plith, ond yn ofer. Ar ôl ychydig, dechreuodd anghofio sut olwg oedd ar y gŵr ifanc, a dychwelodd at y ddau lun i brocio'r cof. Wyneb digon garw oedd ganddo a'i ên wedi ei heillio'n dda, a dim golwg o wallt o dan ei gap ond, fel arall, nid edrychai'n arbennig o wahanol i'r rhan fwyaf o'r wynebau eraill a syllai allan o arwyneb mud y ffotograffau du a gwyn dirifedi.

'Cai, tyd i weld hwn.'

Roedd Ffion yn sefyll wrth ei ymyl, ei llygaid yn ei gymell. Dilynodd hi ar hyd yr adeilad ac i mewn i'r ystafell ddarllen enfawr ar ochr ogleddol y llyfrgell. Cerddodd y ddau i ben draw'r ystafell, lle roedd peiriannau wedi eu gosod ar gyfer darllen tudalennau mawr yr hen bapurau newydd.

Troes Ffion olau un o'r peiriannau ymlaen ar ddalen o bapur *Y Cymro* ac ar ei brig y dyddiad '20 Awst 1964'. Pwyntiodd at erthygl fer ar waelod cornel dde'r ddalen.

Diddymu Achos Fron-goch
Mewn achos traddodi yn Llys Ynadon y Bala ar 19 Mawrth cafodd achos yn erbyn dau ŵr o Fron-goch, y Bala, a fu'n gweithio ar adeiladu'r argae yn Nhryweryn ei ddiddymu. Daethpwyd â'r achos i ben yn erbyn David Penter o Kirkby, Lerpwl, ac Owain Eleias, gwas fferm o ardal y Bala, ar sail diffyg tystiolaeth. Fe'u harestiwyd ar amheuaeth

o fod ynghlwm â diflaniad gweithiwr o'r gwersyll carafannau dros dro a sefydlwyd yn Fron-goch tra pery'r gwaith ar yr argae.

Ailddarllenodd Cai y darn ar ei hyd.

'Edrycha ar y dyddiad,' dywedodd Ffion.

Syllodd Cai ar frig y ddalen eto. 20 Awst 1964.

Cododd Ffion ddarn o bapur ac arno res o nodiadau yn ei llawysgrifen.

'Ddigwyddodd hyn ryw fis, fwy neu lai, ar ôl i'r criw dynion yna fod yn symud y cerrig beddi yn y fynwent.'

Edrychodd Cai arni, gan geisio dilyn rhediad ei meddwl.

'Felly,' dywedodd Cai, gan synhwyro'r cyffro yn llygaid Ffion, 'rhyw fis ar ôl bod wrthi'n codi tir y fynwent, mi gafodd Owain Eleias 'i gyhuddo o fod â rhywbeth i'w neud gyda diflaniad un o'i gyd-weithwyr yn Fron-goch?'

'Do. Ond ti'n edrych ar y peth o'r ochr anghywir. Gafodd o'i gyhuddo, do, fis ar ôl bod yn gorchuddio'r fynwent gyda graean a concrit.'

Edrychodd Cai arni'n ofalus, ac fe wawriodd arno'n araf yr hyn roedd hi'n ei awgrymu.

'Pa le gwell,' dywedodd Cai yn bwyllog, 'i gael gwared ar gorff ...'

'... na hen fynwent sy ar fin cael ei boddi dan lyn enfawr.'

Eisteddodd Cai. Syllodd ar ddalen y papur newydd o'i flaen. Syllodd ar y papur nodiadau, a syllodd yn olaf ar Ffion.

'Allwn ni ddim profi dim o hyn ...'

'Na'llwn,' atebodd Ffion yn dawel, 'ond dyma'r esboniad gora hyd yma o lun Catrin Hywel.'

Daeth y llun mawr hwnnw i feddwl Cai. Dyn yn torri bedd yn y tywyllwch ym mynwent Capel Celyn, ei ddwylo mawr yn gweithio'r rhaw, ei gefn yn grwm a chap yn gorchuddio ei lygaid, a chorff gwelw ar y llawr wrth ei ymyl. Tynnodd Catrin Hywel lun o'r un dyn mewn rhyw hanner dwsin o luniau eraill, lluniau tywyll ac amrwd a oedd fel pe baent yn awgrymu, drwy'r frân fawr ddu, mai'r proffwyd Elias ydoedd wedi ei weddnewid. Ac yn rhith y proffwyd hwnnw, nid oedd yn hawdd gweld neb ac eithrio'r gwas fferm crwydrol, Owain Eleias.

'Rhaid bod Catrin wedi'i weld e,' dywedodd a'i lais yn isel, 'yn ystod y nos, pan a'th e ati i gladdu'r corff. Be fydde'i hoedran hi 'di bod?'

Edrychodd Ffion ar ei nodiadau.

'Tua un ar ddeg.'

'Hyd yn oed 'se fe'n gwybod ei bod hi wedi'i weld e,' dyfalodd Cai, 'mi fyse'n ormod o risg i'w lladd hithe hefyd ... ond pam aros tan 1973?'

'Wn i ddim ...'

'Os dyna ddigwyddodd. Mi fyse gweld rwbeth fel'na yn un ar ddeg oed yn ddigon i gael effaith ddrwg ar y rhan fwya o bobl. Pwy a ŵyr nad oedd y peth wedi rhoi cymaint o hunllefe iddi nes 'i bod hi 'di mynd o'i cho'?'

Ysgydwodd Ffion ei phen.

'Dwi'm yn rhy siŵr. Be am y llunie dynnodd hi? 'Y nheimlad i ydi 'i bod hi'n delio efo'r peth drwyddyn nhw.'

'Be os methodd hi?'

'Be am y llunie erill? Ma pob un ohonyn nhw'n wahanol iawn i'r rhain, yn dangos 'i bod hi'n bwrw 'mlaen efo'i bywyd.'

Cytunodd Cai.

'Pwy sy'n gwbod go iawn,' ochneidiodd yn dawel, 'be sy'n digwydd ym meddylie pobl eraill?'

Edrychodd y ddau ar ei gilydd.

'Ti am ddeud wrth Aeres Vaughan?' gofynnodd Ffion ymhen ychydig.

Ysgydwodd Cai ei ben.

'I be? Be 'di pwynt codi gobeithion hen ddynes heb ffordd o brofi'r peth?'

Canodd sŵn cloch fach drwy'r siambr fawr.

'Drysau'n cau mewn dwy funud,' galwodd y porthor o'r fynedfa.

Safodd Cai.

'Ti am ddod 'nôl 'ma fory?' gofynnodd. 'Dwi'm yn meddwl alla i edrych ar yr un ffotograff arall. O'n i'n meddwl gadel Aber ddechre pnawn.'

'Bosib ddo i am chydig.'

'Dere,' dywedodd Cai wrth ddechrau cerdded, 'neu fyddwn ni'n styc 'ma.'

Oedodd Ffion o flaen y peiriant uwcholeuo.

'Cai – ddudest ti fod y llun yna wedi ennill rhyw wobr i Catrin?'

Trodd Cai tuag ati.

'Pa lun?'

'Llun y claddu yn y fynwent. Pa wobr enillodd hi?'

'Wn i ddim,' dywedodd yn flinedig.

Diffoddodd Ffion y peiriant a'i ddilyn tua'r drws.

# 36

Gadawodd Cai Aber am ddau y prynhawn, ac anelu trwyn y car tua'r gogledd am yr eildro o fewn pythefnos. Roedd wedi cynnig lifft i Ffion, a oedd yn bwriadu mynd adref am y penwythnos i weld ei thad, ond cafodd neges ganddi ganol y bore i ddweud na fyddai hi'n debygol o fod yn barod mewn pryd, ac y dylai Cai fynd ymlaen hebddi. Fe ddaliai hi'r bws fel y byddai'n gwneud fel arfer, a dywedodd wrtho fod croeso iddo alw draw yn nhŷ ei thad drannoeth am baned.

Gwaethygodd y tywydd wrth iddo agosáu at y mynyddoedd. Erbyn iddo gyrraedd Tal-y-llyn, roedd y glaw'n disgyn yn drwm nes codi gwreichion dŵr o'r lôn. Teimlai'n flin. Ceisiodd ei berswadio'i hun mai'r tywydd oedd ar fai, ond fe wyddai'n dawel bach ei fod yn siomedig na chawsai gwmni Ffion ar y daith. Doedd y ddau wedi gwneud dim gyda'i gilydd ond siarad am Catrin Hywel ac Aeres Vaughan ers dros wythnos. A'r dirgelwch wedi ei ddatrys bellach, i bob diben, roedd wedi edrych ymlaen at gael trafod pethau eraill, unrhyw beth, gyda'r ferch ddieithr o Ben-llwch. Fe'i daliodd ei hun y bore hwnnw'n syllu ar y braslun yr oedd wedi ei dynnu ohoni yn y llyfrgell, ei bensil yn dilyn y llinellau ar y papur ac yn perffeithio siâp ei hwyneb, ac awgrym o lygaid yn graddol ddod i'r amlwg drwy'r gwallt.

Trodd y car tua Brithdir, a'r glaw bellach wedi arafu. Dechreuodd edrych ymlaen at gael dychwelyd i'r ystafell gefn ym Mhlas Helygog, a gorffen y gwaith catalogio yng nghwmni Aeres Vaughan. Ac eto, pe bai'n onest ag ef ei hun, nid edrychai ymlaen gymaint ag yr oedd yn ei ddisgwyl. Ganol yr wythnos, pan gysylltodd ag Esell, roedd yng nghanol yr helfa am Owain Eleias, a'r gobaith yn tyfu ynddo y gallai'n fuan rannu rhyw wybodaeth syfrdanol ag Aeres Vaughan a fyddai'n ei rhyddhau hi o'i gwewyr meddwl ar ôl dros ddeugain o flynyddoedd. Roedd yr hyn a wyddai bellach, a hithau'n brynhawn Gwener, bron yn waeth na phe na bai'n gwybod dim. Roedd Ffion ac yntau wedi cydio holl ddarnau'r jig-so gyda'i gilydd ac wedi cael gweld y darlun bron yn gyflawn, ond nid oedd diben i Aeres Vaughan ei weld, a'r darlun hwnnw mewn gwirionedd mor frau ag ysgrifen ar draeth.

Gwelodd arwydd Pen-llwch yn dod i'w gwrdd, a thalcen gwyn tŷ Ffion a'i thad ar y chwith ym mhen y lôn. Gyrrodd drwy'r pentref ac ymlaen tua Phlas Helygog.


# 37

Cyrhaeddodd Ffion y llyfrgell am ddeg. Bu'n troi a throsi yn ei chwsg y noson gynt, ei meddwl blinedig yn ymrafael â'r holl wybodaeth y bu'n ei chario dros y pythefnos diwethaf, ynghyd â'r darnau newydd o wybodaeth y daethai o hyd iddynt dros y dyddiau diwethaf. Nid oedd dim amdani yn y bore ond dychwelyd at y peiriant uwcholeuo i geisio ysgubo'r chwilen o'i phen.

Sgroliodd a sgroliodd drwy'r bore, ei llygaid yn llyncu'r colofnau du a gwyn heb wybod yn iawn i ble roedd hi'n mynd. Am hanner dydd anfonodd neges at Cai i ddweud wrtho am beidio ag aros amdani. Roedd yn drueni na fyddai'n cael cyfle i'w holi am yr hyn y bwriadai ei wneud ym Mhlas

Helygog, ac nid oedd Ffion yn edrych ymlaen rhyw lawer at y daith fws yn nes ymlaen y diwrnod hwnnw, ond rhaid oedd bwrw ati. Aeth yn ôl at y peiriant uwcholeuo, cyn sylweddoli'n sydyn mai ar y peiriant hwnnw yr oedd y bai. Roedd hi'n sownd mewn rhigol. Rhoes y gorau i'r papurau newydd a rhoi tro ar bori'r papurau lleol.

Daeth o hyd i bapur *Y Dydd* ar system y llyfrgell, ac archebodd bob rhifyn rhwng 1965 ac 1973. Ymhen ychydig daeth aelod o'r staff ati'n gwthio troli ac arno dri bocs yn llawn o'r papur bychan. Rhoes drefn ar yr oriau nesaf yn ei meddwl, gan bennu hyn a hyn o amser ar gyfer pob bocs a hyn a hyn o amser o fewn yr amser hwnnw ar gyfer pob papur unigol. Agorodd y bocs cyntaf ac aeth ati i sganio'r dalennau, gan ganolbwyntio ar y lluniau a'r penawdau, yn y gobaith y tynnid ei llygad gan enw Catrin Hywel pe ceid hwnnw yn y print mân. Trodd ddalennau olaf y papur. Bu bron iddi neidio o'i sedd.

Ar y ddalen olaf roedd copi o'r llun tywyll o ddyn yn agor bedd, ac oddi tano'r geiriau:

> Gwobr Gyntaf: Catrin Hywel, 19 oed, Gwynfa, Pen-llwch.

Roedd Catrin wedi ennill cystadleuaeth arlunio'r papur, ac fe atgynhyrchwyd ynddo'r llun buddugol gydag ambell air o ganmoliaeth gan y beirniad.

Trodd Ffion yn ôl at y ddalen flaen a chwiliodd am y dyddiad. Medi 1972. Aeth yn ôl i edrych ar y llun ar y ddalen olaf. Roedd Cai yn iawn, meddyliodd. Rhaid bod Catrin wedi ailbrofi'r hen hunllefau dros yr haf y flwyddyn honno, a chofio'n ôl wyth mlynedd ynghynt pan welsai Owain Eleias yn claddu'r corff ym mynwent Capel Celyn un noson loergan o haf. Aethai ati wedyn i ddadlwytho ei hofnau i'w lluniau dros yr hydref a'r gaeaf, gan roi mynegiant i'w hunllefau ar gynfas.

Ond bu'r holl ymdrech yn ormod iddi, ac erbyn y gwanwyn y flwyddyn ganlynol, roedd ei meddwl wedi dechrau rhoi. Rhoes haf 1973 iddi'r ergyd olaf, gan ei gwthio dros y dibyn ym mis Medi'r flwyddyn honno. A hithau wedi colli ei thad yn fuan ar ôl symud i Ben-llwch a'i modryb, a fu fel mam iddi unwaith, i bob golwg wedi anghofio amdani, roedd hi fel cwch bychan ar fôr drycinog.

Rhoes Ffion y papur yn ôl yn y bocs. Roedd y cyfan yn anochel, meddyliodd. Tybed a ellid mesur a chofnodi ymateb yr ymennydd i ysgytwad meddyliol fel yr un a ddioddefodd Catrin Hywel? Roedd yr effeithiau'n debyg iawn i'r effaith a gâi feirws ar y corff, yn cydio ynddo ac yn ei ddiddymu'n araf anochel. Ymddangosai'n berffaith bosib y gallai'r meddwl, ac ystyried oedran Catrin Hywel pan ddechreuodd fyw mewn ofn, ildio i ddylanwadau allanol yn yr un modd. Daeth awydd drosti'n sydyn i ddychwelyd at ei thraethodau bioleg cyfarwydd, a rhoi'r gorau i'r gwaith ditectif amatur.

Dychwelodd y troli at y brif ddesg. Edrychodd yr aelod o'r staff arni'n syn pan ddywedodd ei bod hi wedi gorffen â'r bocsys. Gadawodd y llyfrgell, gan ddal y bws cylchol i lawr i'r dref. Gallai ddal y bws i Ddolgellau ymhen yr awr.

# 38

Cawsai Cai groeso cynnes gan Aeres Vaughan ac Esell.

''Dydi'r tywydd 'ma'n afiach?' dywedodd Aeres Vaughan wrth y drws ochr wrth annog Cai i ddod i mewn o'r glaw.

'Ry'ch chi'n cofio'r ffordd i'r ystafell?' gofynnodd Esell ar ôl i'r tri rannu diod o goffi poeth.

Aeth Cai â'i fag i fyny drwy'r cyntedd. Oedodd ar waelod y grisiau. Roedd y llun o ferch lygatddu a fu'n crogi uwchben ei wely yn ei ystafell bellach wedi ei roi ar y wal uwchben y grisiau, lle gellid ei weld yn hawdd o bob rhan o'r cyntedd.

'Gofynnais i Peter ddod â'r llun i lawr yma,' dywedodd Aeres Vaughan. 'Mae'n hen bryd i waith fy nith gael ei weld gyda phopeth arall yn y tŷ 'ma.'

Camodd Cai yn ôl i werthfawrogi'r llun o'r newydd.

'Ma'n cymryd ei le'n dda,' dywedodd.

Pan gyrhaeddodd ei ystafell, sylwodd fod llun arall wedi ei roi yn lle'r hen lun uwchben ei wely. Roedd Aeres Vaughan wedi cwblhau'r llun y bu'n gweithio arno pan welsai Cai hi'r tro diwethaf, a bellach roedd golygfa o Ben-llwch a'r mynyddoedd yn harddu'r wal. Diolchodd Cai amdano'n dawel bach, gan na fedrai weld y nesaf peth i ddim allan drwy'r ffenestri y prynhawn hwnnw.

Cafodd y tri swper cynnar. Holodd Aeres Vaughan ynghylch hynt yr ymchwil, a soniodd Cai yn fras am waith cywreinio'r catalog nad oedd, mewn gwirionedd, wedi meddwl am ei ddechrau eto. Ac yntau'n teimlo fymryn yn euog am gelu'r gwir, penderfynodd sôn wrthi ei fod wedi ailddechrau braslunio.

'Dwi'n falch iawn, Cai,' dywedodd Aeres Vaughan, 'mae'n hen bryd. Ddoist ti o hyd i destun felly?'

'Do, mae'n debyg.'

'Pwy ydi hi?'

Oedodd Cai ar ganol codi ei wydr gwin at ei wefusau. Roedd Aeres Vaughan yn cilwenu.

'Un o fyfyrwyr y drydedd flwyddyn,' cyfaddefodd, 'mae hi'n astudio bioleg.'

'Gwyddonydd? Diddorol iawn. Mae testun da'n beth prin, Cai.'

Wrth i Esell glirio'r bwrdd, soniodd Cai yr hoffai ddechrau ar y gwaith y noson honno.

'Wrth gwrs,' dywedodd Esell, 'mae popeth fel ag yr oedd bythefnos yn ôl.'

Aeth Cai i'w ystafell i ymofyn ei laptop a'i bapurau, ac aeth i lawr i'r gegin i baratoi coffi. Roedd wrthi'n arllwys yr hylif i'w gwpan pan deimlodd ddrafft ar ei groen. Roedd y drws ochr ar agor, a'r golau ymlaen uwch ei ben. Aeth draw i gau'r drws a gwelodd fod Esell yn pwyso yn erbyn y wal o dan y bondo.

'Ydych chi'n smocio, Cai?'

Camodd allan o dan y portsh.

'Dwi ddim. Wedi trio ambell dro, ond dyw e'm at 'y nant i.'

'Wel, mae hwn,' atebodd Esell gyda rhyw sŵn rhathell yn ei lais, 'yn blasu'n dda yn erbyn fy nant i ar hyn o bryd.'

Sugnodd y mwg i mewn i'w ysgyfaint a'i chwythu yn ôl allan i'r awyr oer. Dilynodd Cai y mwg llwyd wrth i'r golau ei ddal am eiliad, cyn iddo ddiflannu i'r tywyllwch.

'Ry'ch chi'n dod ymlaen yn dda iawn,' dywedodd Esell, 'chi a Miss Vaughan.'

'Am wn i.'

'Fe wn i'r peth pan wela i o. Wedi'r cyfan, felly oeddwn i a hi, un tro.'

Edrychodd Cai ar Esell fel pe bai am y tro cyntaf.

Nid oedd y peth wedi croesi ei feddwl, ond roedd yn amlwg bellach. Roedd Esell ac Aeres Vaughan wedi bod yn gariadon, un tro.

Trodd Esell i edrych arno, a chwarddodd.

'Peidiwch â phoeni, nid cynllwyniwr mohona i.'

Tynnodd ar ei sigarét.

'A fedra i ddim gweld bai arnoch chi. Mae ganddi, neu mae gan ei lluniau, ryw fath o rym dros rai pobl. Dylech chi fod wedi'i gweld hi ar ei hanterth, pan oedd hi'n ben ar bob Sais yn Llundain. Dyna pryd y gweles i hi'r tro cyntaf, ond mi o'n i'n iau nag y'ch chi.'

Roedd Cai ar fin holi am y bywyd yn Llundain pan ofynnodd Esell iddo,

'Faint o luniau Catrin Hywel ry'ch chi wedi'u catalogio bellach?'

Syllodd Cai arno. Ni fedrai gelu ei syndod.

'Pob un?' Chwythodd Esell lond ceg o fwg i'r awyr. 'Ha, ro'n i'n gwybod mai dyna oedd ei bwriad hi o'r dechrau. Denu rhywun yma gyda'i gwaith hi ei hun, a'u llywio nhw yn y cudd wedyn at waith Catrin Hywel. Roedd y ferch yn gallu paentio, peidiwch â 'nghamddeall i, ond dydi hi'n ddim mewn cymhariaeth â Miss Vaughan.'

Sylweddolodd Cai o'r newydd pa mor llwyr yr oedd Esell wedi cysegru ei fywyd i fywyd a gwaith Aeres Vaughan.

'Dwi'n meddwl mai chwilio am ryw fath o

faddeuant mae hi,' mentrodd Cai, 'ar ôl pob dim a ddigwyddodd.'

'Mae hi wedi gwneud digon i haeddu maddeuant,' atebodd Esell. 'Mae hi wedi byw yn y tŷ yma, yn y lle gwrthodedig yma, am dros ddeugain mlynedd, ac wedi amddifadu'r byd o'r hyn mae hi'n gallu'i wneud. Does ganddi ddim ar ôl i deimlo'n euog amdano.'

Taflodd ei sigarét ar lawr a'i diffodd o dan ei droed.

'Os byddwch chi angen rhywbeth yn yr ystafell gefn, Cai, rhowch wybod.'

Aeth yn ôl i'r tŷ, gan adael Cai yn syllu i'r tywyllwch.


# 39

Swatiodd Ffion yn ei dillad nos a'i chladdu ei hun mewn llawlyfr bioleg newydd o'r llyfrgell. Hyrddiai'r gwynt heibio talcen y tŷ ychydig fodfeddi o ffenest ei llofft, a chlywai'r glaw yn titrwm-tatrwm ar y to. Roedd y nos yn prysur gau i mewn ac roedd Ffion yn falch iawn bellach iddi ddal y bws cynnar o Aber. Gadawsai'r bws yn Nolgellau, a daethai Mrs Evans i'w hebrwng adref i Ben-llwch yn ei char cyn i'r dydd ddiffodd yn llwyr.

Clywodd ei thad yn galw arni o'r gegin. Dywedodd ei fod am groesi'r stryd i ddiolch i Mrs Evans am fynd i'w nôl hi. Ceisiodd weiddi'n ôl ei bod eisoes wedi diolch iddi, ac mai peth gwirion oedd mentro allan yn y fath dywydd, ond clywodd y drws yn cau cyn iddi fedru gorffen ei brawddeg.

Roedd wedi edrych ymlaen yr holl ffordd o Aber at ddarllen ei llyfr newydd, *Microbe-host Cell Interactions*. Trafodai'r llyfr hanes esblygol microbau'r corff dynol dros gyfnod o flynyddoedd dirifedi, gan fanylu ar eu gallu mewn rhai achosion i fyw yn y corff heb gael effaith andwyol arno ac, mewn achosion eraill, i wrthweithio'r berthynas agos honno. Ond a hithau gartref o'r diwedd ac yn gorwedd yn ei hystafell ddiddos, ni châi gystal blas ar y darllen ag yr oedd wedi ei ddisgwyl. Ac ni fedrai roi ei bys ar yr union reswm. Rhoes y bai ar flinder y daith.

Aeth i gau'r llenni, ac oedodd i syllu allan drwy'r ffenest fach ar ryferthwy'r tywydd am un tro olaf cyn noswylio. Roedd tonnau o law'n llifeirio i lawr dros doeon y tai cerrig gyferbyn, ac yn ysgubo ar hyd y caeau y tu ôl iddynt.

Oedodd am eiliad.

Roedd rhywbeth yn symud yn un o'r caeau.

Nid un o'r defaid. Roedd y rheini'n ddigon call i gysgodi.

Dyn. Roedd dyn yn cerdded, neu'n hercian, drwy'r cae.

Cerddai'n araf, ond yn bwrpasol, drwy'r glaw. Edrychai fel pe bai'n mynd i gyfeiriad y plas.

Ceisiodd graffu ar y ffurf annelwig, ond roedd gormod o law yn rhedeg i lawr ar hyd y paen.

Teimlodd ei chalon yn cyflymu a'i meddwl yn rasio. Bron fel pe bai'n disgwyl ei weld, edrychodd i lawr at y tai cerrig ar ochr arall y lôn, a gwelodd ddrws un o'r tai ar agor led y pen ac yn clepian yn ôl ac ymlaen yn y gwynt.

Gwyddai dŷ pwy ydoedd cyn i'r enw ddod i'w meddwl.

Tŷ Mr Owen. Mr Elis Owen.

# 40

Ar lawr caled yr ystafell gefn, eisteddai Cai yng ngolau ei laptop agored a'i lewys wedi eu torchi yn craffu ar y llun diweddaraf ar ei restr gatalogio. Bu'n brofiad rhyfedd dychwelyd i'r ystafell oer a chofio'r cynnwrf pan welsai'r lle ddiwethaf. Roedd y bwlch yn dal yno yng nghanol yr ystafell lle safai'r cabinet anghofiedig rhwng y wal a'r llun olaf yn y rhes. Doedd dim amdani bellach ond ymdaflu yn ôl i mewn i'r gwaith.

Curai'r glaw ar do'r ystafell, ond sŵn pell a chysurlon ydoedd, fel pe bai'n dod o fyd arall.

Ymgollodd Cai yn ei guro parhaus ac yng nghrefft sicr y lluniau o'i amgylch y câi eu bodio a'u harchwilio heb ofni y dôi neb ato i ddweud y drefn. Roedd ar fin codi i fynd i ymofyn y llun nesaf pan glywodd sŵn drws yn agor rywle yn y tŷ. Aeth ymlaen â'i waith.

Ymhen ychydig clywodd y gwynt yn rhuo, fel pe bai ffenest wedi ei gadael ar agor yn un o'r ystafelloedd blaen. Oedodd i glustfeinio am eiliad, a chlywodd y sŵn yn uwch, sŵn rhuo'r gwynt drwy'r tŷ. Edrychodd dros ei ysgwydd tuag at ddrws yr ystafell. Clywodd ddrws yn cau'n glep mewn rhan arall o'r tŷ. Cododd ac aeth i afael yn y drws rhag i hwnnw glepio hefyd. Teimlodd awel oer ar ei wyneb.

Camodd i'r coridor tywyll. Sylwodd fod yr awel yn chwythu o gyfeiriad y cyntedd. Roedd y drws yn y pen pellaf yn gysgod i gyd ac eithrio'r ffrâm goleuni a'i hamgylchynai o'r cyntedd tu hwnt. Aeth at y drws, a'i agor.

Roedd y cyntedd yn olau i gyd, a phaentiadau Aeres Vaughan yn pefrio ar hyd y waliau llachar. Cymerodd eiliad i'w lygaid addasu ar ôl bod cyhyd yng ngolau pŵl yr ystafell gefn a thywyllwch y coridor. Teimlai'r awel ar ei groen eto, fel pe bai'r drws ffrynt yn gilagored. Ond gwelai fod hwnnw ar gau. Safodd yn ei unfan yn clustfeinio, ond doedd dim i'w glywed ond sŵn pell y glaw yn curo ar y to uchel uwch ei ben.

Trodd ei ben i gyfeiriad coridor y gegin. Roedd y

drws hwnnw'n agored, fel y buasai'n aml. Daliwyd ei lygad gan rywbeth sgleiniog ar y llawr. Roedd rhyw wlybaniaeth yno ar lawr pren tywyll y coridor, stribed o ddŵr yn gloywi yn y golau a ddôi o'r gegin, a'i ganol yn crychu bob hyn a hyn yn yr awel.

Camodd Cai ymlaen yn araf, ei synhwyrau'n sydyn yn effro i gyd. Teimlodd y gwlybaniaeth o dan ei draed yn y coridor. Daeth at ddrws y gegin, a safodd yn ei unfan.

Ym mhen pellaf y gegin, y tu ôl i'r bwrdd a safai ar dro annaturiol, eisteddai Peter Esell ar lawr a'i gefn yn pwyso yn erbyn y cwpwrdd pren o dan y sinc. Roedd pwll bychan o waed wrth ei glun ac o amgylch ei fraich dde, a honno'n gorwedd yn llipa ar y llawr, ei llawes wen wedi amsugno'r lleithder coch. Rhedai diferyn o waed o ymyl ei geg i lawr ei ên.

Cododd ei lygaid pan welodd Cai yn y drws, ei geg yn agor ac yn geirio'n fud. Aeth Cai yn syth ato a phlygu i lawr i'w helpu, ond petrusodd rhag ei gyffwrdd ac yntau'n amlwg mewn poen.

'Peter, be …' dechreuodd.

Symudodd Esell ei geg eto, ei wefusau sychion yn ceisio ffurfio geiriau ond roedd ei lais yn ddiymadferth. Roedd yn amlwg ei fod mewn sioc. Gwibiai ei lygaid o'r llawr i wyneb Cai am yn ail.

Yn ei ddryswch, syllodd Cai o'i amgylch. Ni wyddai ble i droi. Gwelodd bwdel o goffi cynnes wrth droed y bwrdd, y diferion yn dal i syrthio i'w ganol o'r potyn coffi a orweddai ar ei ochr ar ymyl y bwrdd uwchben. Drwy goesau'r bwrdd gwelai ddrws y gegin led y pen ar agor, ac awel y nos yn chwythu'n rhydd drwyddo gan boeri diferion glaw i mewn i'r ystafell olau.

Cododd yn benysgafn. Aeth at y drws a rhythodd allan i'r tywyllwch. Trawodd yr oerfel ei wyneb. Camodd dros y trothwy, ond clywodd lais Esell yn galw'n wan y tu ôl iddo. Aeth yn ôl ato a phenlinio o'i flaen.

'Cai …' dywedodd, ei lais yn dawelach y tro hwn.

Anadlai'n drwm a châi drafferth dod o hyd i'w lais. Agorai a chaeai ei lygaid, gan syllu'n syth i lygaid Cai, fel pe bai'n ymdrechu i ganolbwyntio. Yna cododd ei fraich chwith yn grynedig a phwyntio, nid at y drws, ond at y coridor. Edrychodd dros ysgwydd Cai tua'r drws lle daethai i mewn o'r cyntedd.

Trodd Cai yn ei unfan. Syllodd eto ar y stribed o ddŵr ar lawr y coridor. Teimlodd ei stumog yn troi.

Cododd eto a chamodd yn ôl i'r coridor tywyll, ei wadnau'n slwtsh wrth droedio'n ofalus drwy'r dŵr. Yn y golau a ddôi o'r cyntedd gallai weld stribedi eraill o ddŵr yn ei arwain yn ôl y ffordd y daethai. Camodd i'r goleuni.

Hanner ffordd i fyny'r grisiau pren, a lluniau Aeres Vaughan yn crogi'r naill ochr iddo, gwelodd

Cai hen ddyn yn sefyll yn ei unfan a'i gefn tuag ato. Roedd ei grys tenau a'i wallt brith yn wlyb drwyddynt. Syrthiai diferion glaw o'i ddillad ar y gris oddi tano, a'r rheini'n dirwyn i lawr y grisiau fel cynffon ddyfrllyd yn dangos lle camodd ar draws y cyntedd ac i fyny hanner ffordd i'r llawr cyntaf, ond dim pellach.

Teimlodd Cai ias yn mynd i lawr ei gefn. Roedd y dyn dieithr hwn wedi bod yn sefyll yno'n dawel ar y grisiau y tu ôl iddo pan ddaethai i'r cyntedd o'r ystafell gefn lai na munud ynghynt. Nid oedd wedi sylwi dim arno.

Camodd yn araf i ganol yr ystafell. Safai'r hen ddyn uwchben yn hollol lonydd, a'i gefn at y cyntedd agored. Wrth agosáu ato, gwelodd Cai fod yn ei law dde gyllell fara hir, ei llafn yn goch ac ambell ddiferyn o waed yn dal i syrthio i'r llawr yn gymysg â'r dŵr glaw wrth ei droed.

Roedd awel oer yn chwythu drwy'r tŷ, gan chwarae bob hyn a hyn ag ymylon dillad yr hen ddyn a'i wallt tenau. Ond parhâi i sefyll yno'n llonydd ar y grisiau fel delw. Er na allai Cai weld ei wyneb, sylwodd fod y dieithryn wedi hoelio ei olygon ar rywbeth uwch ei ben. Cododd Cai yntau ei olygon, a gwelodd lun y ferch lygatddu'n edrych i lawr arno.

Aeth Cai gam yn nes a cheisiodd feddwl am rywbeth i'w ddweud, ond yn sydyn teimlodd hyrddiad o wynt yn rhwygo drwy'r tŷ. Clywodd ddrws y gegin yn cau â chlep fyddarol a'r gwydr ynddo'n torri'n deilchion. Dychrynodd drwyddo. Clywodd dwrw o gyfeiriad y gegin, a gwelodd rywun yn camu tuag ato o dywyllwch y coridor.

Safai Ffion o'i flaen yn wlyb diferol. Syllai'n wyllt o'i hamgylch, a hithau'n amlwg wedi gweld Esell yn gorwedd yn ei waed ar lawr y gegin. Roedd yn ceisio cael ei gwynt ati ac ar fin dweud rhywbeth wrtho, pan sylwodd ar y dieithryn ar y grisiau.

Er gwaethaf yr holl sŵn, doedd yr hen ddyn ddim wedi symud gewyn ac roedd yn dal i sefyll yn ei unfan yn rhythu ar hunanbortread Catrin Hywel uwch ei ben.

Cyn i'r un o'r ddau fedru gwneud dim, clywsant hanner sgrech o ben y grisiau. Safai Aeres Vaughan yno a'i llaw grynedig dros ei cheg a'i llaw arall yn cydio'n dynn yng nghanllaw pren y landin.

Gwelodd Cai yr hen ddyn yn gostwng ei olygon ac yn edrych tuag at yr hen ddynes ar ben y grisiau. Cymerodd gam ymlaen.

Camodd Ffion yn gyflym at droed y grisiau.

'Owain,' dywedodd.

Arafodd ei gam.

'Owain Eleias,' dywedodd eto.

Oedodd yr hen ddyn a phlygodd ei ben tua'r llawr. Edrychai fel pe bai'n siarad ag ef ei hun, ond doedd dim i'w glywed ond rhyw furmur pell, aneglur.

'Mae'r cyfan ar ben,' dywedodd Ffion. Clywodd ei hun yn dweud y geiriau heb wybod yn iawn beth roedd hi'n ei olygu. Teimlodd ddiferion glaw yn rhedeg i lawr ei hwyneb ac yn dripian o'i gwallt a'i dwylo.

'Dewch i lawr,' dywedodd.

Daliai yntau i rythu tua'r llawr, y gyllell yn ei law'n siglo yn yr awyr.

'Owain …'

Trodd Owain Eleias yn ei unfan ac edrychodd i lawr tua'r cyntedd. Gwelodd Cai ei wyneb am y tro cyntaf. Dau lygad difywyd, ar agor led y pen, yn rhythu o'r naill wyneb i'r llall yn ddryslyd. Roedd ei groen yn welw felyn a'i gernau pantiog yn arw ac esgyrnog. Crwydrodd ei lygaid o'r drws ffrynt, heibio Cai, cyn oedi ar y ferch â'r gwallt tywyll wrth droed y grisiau.

Gwelodd Ffion wyneb yr hen ddyn ffwndrus o ddiniwed a oedd, er y gallai gofio, wedi byw i lawr y lôn ryw ganllath o'i chartref hi a'i thad. Roedd arno'r un olwg ddryslyd ag a welai Ffion ryw unwaith neu ddwy y mis, pan ddigwyddai gerdded heibio'r tŷ yn y pentref a'i gael yn syllu i wagle yn y drws neu yn y cysgodion y tu ôl i'w ffenestri pyglyd.

Clywodd Ffion ei hun yn dweud eto,

'Dewch i lawr.'

Syllodd yntau arni dan fwmial siarad. Trodd ei ben ac edrychodd yn ôl i fyny'r grisiau.

'Paid ti,' dywedodd yn grynedig, a chodi'r gyllell o'i flaen.

'Paid ti,' dywedodd eto, ychydig yn uwch y tro hwn, y poer yn tasgu o'i geg a chasineb yn ei lais, 'paid ti edrych arna i.'

Syllodd Cai i ben y grisiau, a gwelodd Aeres Vaughan yn cymryd cam yn ôl. Daliai Owain Eleias y gyllell o'i flaen yn fygythiol, ond ni fedrai Cai weld yn iawn at bwy roedd yn ei hanelu, ai at Aeres Vaughan neu at Catrin Hywel yn y llun ar y wal uwchben. Dechreuodd ddyfalu a fedrai redeg i fyny a'i ddal, a thynnu'r gyllell o'i afael rywsut, cyn iddo gyrraedd pen y grisiau.

Ond yna fe ddechreuodd Ffion gamu am yn ôl o'r grisiau, gan ddod rhyngddo ef a'r hen ddyn.

'Dewch i lawr, Owain,' dywedodd Ffion eto. Ceisiodd Cai ymbil arni i symud, ond cododd Ffion ei llaw a pharhau i ddod yn ôl tuag ato wysg ei chefn, ei llygaid yn dal i wylio Owain Eleias.

Trodd Owain Eleias yn ôl tua'r cyntedd, ei lygaid yn rhythu i lawr arni'n gynddeiriog. Trodd yn ôl eto i edrych dros ei ysgwydd tua phen y grisiau a llun Catrin Hywel. Roedd Aeres Vaughan wedi cilio o'r golwg.

Safodd Ffion yn ei hunfan.

'Ewch 'nôl,' dywedodd hi, 'i'r goedwig.'

Daliodd ei hanadl. Syllodd Owain Eleias yn ôl ac ymlaen o ben y grisiau i'r cyntedd yn ddryslyd dan furmur siarad. Yna camodd yn gyflym i lawr i waelod y grisiau. Oedodd am eiliad a syllu'n wag ar Ffion. Yna herciodd ymlaen ac allan drwy'r coridor, ei gyllell yn diferu gwaed ar ei ôl.

Clywodd Cai draed yr hen ddyn yn crensian y gwydr chwilfriw ar lawr y gegin, yna sŵn y drws yn agor. Edrychodd ar Ffion am eiliad, yna aeth heibio iddi ac i mewn drwy'r coridor tywyll i'r gegin.

Roedd Esell yn dal i eistedd yno'n swp, ei lygaid nawr ynghau a stribyn o waed ar y cwpwrdd y tu ôl iddo lle bu'n pwyso yn ei erbyn.

Aeth Cai at y drws agored, a rhythu allan i'r tywyllwch. Doedd dim i'w weld na'i glywed ond y glaw'n ysgubo'r nos ac yn ysgwyd canghennau'r coed pin yn y pellter.

# 41

Aberystwyth yn oerni Ionawr, ei strydoedd rhewllyd yn amddifad o liwiau llachar y Nadolig, ac eto'n byrlymu o siopwyr a masnachwyr ar ddechrau blwyddyn newydd. Cyn hir fe ddôi'r myfyrwyr yn ôl yn eu miloedd i ailafael mewn tymor newydd, eu grantiau'n chwyddo coffrau'r tafarndai fel y brifysgol, a'u dawnsio'n bywiocáu'r strydoedd llwm.

Eisteddai Cai mewn caffi ar Chalybeate Street â phensil yn ei law, a phaned o goffi a darn o bapur gwyn ar y bwrdd o'i flaen. Symudai ei law'n fedrus ar hyd y papur, lle dôi cyfres o frasluniau i'r golwg yn raddol o'r rheini a gerddai i mewn drwy ddrws y caffi, trigolion amryfal y dref a'u cotiau a'u sgarffiau wedi eu tynnu'n dynn amdanynt.

Cymerodd lwnc o goffi a throdd y darn papur drosodd. Llythyr ydoedd yr oedd wedi ei dderbyn gyda pharsel y bore hwnnw o Blas Helygog. Ailddarllenodd ddiwedd y paragraff olaf.

> ... peth na ellid bod wedi ei rag-weld. Fe fyddaf hyd byth yn dragwyddol ddiolchgar i chi, Cai, ac i Ffion, am bob dim a wnaethoch, nid yn unig ar y noson dywyll honno, ond cyn ac oddi ar hynny. Mae croeso ichi'ch dau yma ym Mhlas Helygog, wrth reswm. Rwy'n gobeithio y byddwch yn hoffi'r anrheg fechan. Gyda chofion cynnes at y gwanwyn,
>
> Aeres a Peter

Yn erbyn coes y bwrdd fe bwysai dau becyn petryal, y naill wedi ei lapio mewn papur brown a'r llall, oedd yn llai o faint, mewn papur gwyn. Cododd y pecyn brown a thynnu'r papur, a oedd eisoes wedi ei rwygo, i'r naill ochr. Edrychodd eto ar y ddau lun. Dau lun roedd Cai wedi eu gweld am y tro cyntaf yn yr ystafell gefn ym Mhlas Helygog, ac wedi eu catalogio mewn cofnod ar ei laptop.

36 x 23 cm Pensil
Catrin Hywel yn edrych tua'r llawr, ac yn gwenu

35 x 23 cm Pensil ac inc
Catrin Hywel yn dawnsio

Pwysodd yn ôl yn ei gadair a syllodd eto i lygaid y ferch. Am yr hyn a deimlai fel y canfed tro'r gaeaf hwnnw, daeth i'w gof lun arall ohoni a oedd yn dal ar wal y cyntedd ym Mhlas Helygog. Llun o ferch lygatddu yn edrych yn syth at y gwyliwr, hunanbortread cain mewn paent olew. Llun a achubodd fywyd Aeres Vaughan, yn ôl pob tebyg. Pe na bai hi wedi gofyn i Peter Esell ddod â'r llun i lawr i'r cyntedd, mae'n debygol na fyddai Owain Eleias wedi stopio'n stond i rythu i lygaid Catrin Hywel, ac y byddai wedi mynd yn ei flaen i fyny'r grisiau. Nodwyd y posibilrwydd yn nyfarniad swyddogol yr heddlu.

Roedd Cai a Ffion wedi treulio'r rhan fwyaf o fis Rhagfyr a'r Nadolig yn mynd yn ôl ac ymlaen o swyddfa'r heddlu i roi tystiolaeth ac i olrhain hanes yr ymchwil. Daethpwyd o hyd i ddogfennau a oedd yn dangos fod Owain Eleias wedi newid ei enw i Elis Owen yn fuan wedi iddo symud i Ben-llwch yn Hydref 1972. Yn y flwyddyn honno, ryw fis cyn iddo symud i'r pentref, gwelsai ar dudalennau'r papur lleol lun gan Catrin Hywel, ac fe adnabyddodd ef ei hun yn ffigur yr ymgymerwr tywyll. Pa un ai a oedd arno ofn cael ei ddal fel llofrudd, ynteu a oedd eisoes wedi dechrau colli ei bwyll, roedd yn amlwg iddo ymroi i ddod o hyd i Catrin a'i chadw dan wyliadwraeth. Ond cawsai ei weld ym Mhen-llwch effaith andwyol ar Catrin, ac yntau'n ei dilyn ar hyd y lle fel drychiolaeth. Arllwysodd ei hofnau i'w gwaith, gan greu'r gyfres arswydus honno o baentiadau tywyll. A hithau yn ei blodau'n greadigol, cuddiasai enw gwreiddiol ei phoenydiwr yn y darluniau. Pan welsai yntau'r lluniau hynny fe wylltiodd, a chynlluniodd ei diwedd yn gelfydd.

Crwydrodd meddwl Cai yn ôl i'r noson stormus honno ym Mhlas Helygog. Teimlai fel oes yn ôl bellach. Ar ôl diflaniad Owain Eleias, galwyd yr heddlu a'r gwasanaeth ambiwlans ac aethpwyd ag Esell yn syth i'r ysbyty. Cawsai ei drywanu deirgwaith yn ei gefn gan yr hen ddyn pan welsai hwnnw ef o'r tywyllwch yn paratoi bwyd drwy ffenest drws y gegin, a chollodd gryn dipyn o waed. Bu fyw, ond byddai ei fraich dde'n ddiffrwyth o hynny ymlaen.

Daeth yn eglur yng nghwrs yr ymchwiliad fod tad Ffion wedi gofyn i Mrs Evans a oedd hi'n adnabod yr enw Owain Eleias, a'i bod hi, yn ei thro, wedi crybwyll yr enw wrth Mr Owen, gan ei fod yn un o drigolion hynaf yr ardal. Pan glywsai'r hen ŵr ffwndrus hwnnw'r enw, fe ddeffrowyd rhan ohono a fu mewn trwmgwsg ers blynyddoedd maith. Dihangodd o'i dŷ'r noson honno ac ymlwybro yn ei orffwylledd drwy'r glaw tua'r plas.

Anfonwyd criw i chwilio am Owain Eleias, ond cawsant eu trechu'n fuan gan ffyrnigrwydd y storm a'r gwyntoedd garw. Daethpwyd o hyd i'w gorff drannoeth gryn bellter o'r plas, ben i lawr mewn pwll mawn ar y mynydd.

Teimlodd Cai ei ffôn yn canu'n ei boced. Tynnodd ef allan a darllenodd y sgrin. Roedd Ffion yn aros amdano.

Yfodd weddill ei goffi, plygodd y llythyr a'i roi'n ôl yn y pecyn brown gyda'r ddau lun. Cododd y pecyn gwyn hefyd a gwisgodd ei got.

Galwodd heibio'i fflat ar y ffordd i'r orsaf fysiau, a chododd ei laptop ac ambell sgrap o bapur. Cawsai Jarvis Smith gymaint o sioc â neb pan glywodd yr hanes yn llawn, a buan y dechreuodd ddangos diddordeb gwirioneddol yng ngwaith Aeres Vaughan. Roedd Cai wedi ofni am gyfnod y buasai achos gan y coleg i'w ddisgyblu, ond cafodd yr holl beth ei ysgubo o'r neilltu pan ymrwymodd Aeres Vaughan i ariannu ysgoloriaeth flynyddol ym maes celf yng Nghymru, yn ogystal â doethuriaeth Cai yn llawn a holl ffioedd dysgu Ffion.

Croesodd Cai'r ffordd a gwelodd Ffion yn

eistedd ar fainc yn yr orsaf fysiau, ei laptop o dan ei chesail a chwpan bapur yn ei llaw. Roedd ei gwallt tywyll yn dal yn flêr, a'r un gloywder yn ei llygaid herfeiddiol, ond roedd rhywbeth amdani'n wahanol hefyd. Gwenodd Cai wrth feddwl pa mor debyg yr edrychai i'r braslun ohoni a gwblhaodd y bore hwnnw ac a fframiwyd yn anrheg iddi a'i lapio yn y pecyn gwyn a ddaliai o dan ei gesail.

Trodd ei phen wrth ei weld yn nesáu.

'Barod amdani?'

Roedd y bws i'r campws ar fin cyrraedd.